KB195937

우연과 사랑

이봉진 지음

우연과 사랑

초판 1쇄 인쇄 2019년 11월 18일
초판 1쇄 발행 2019년 11월 25일

지은이 이봉진
펴낸이 이재욱
펴낸곳 (주)새로운사람들
디자인 김명선
마케팅·관리 김종림

ⓒ이봉진, 2019

등록일 1994년 10월 27일
등록번호 제2-1825호
주소 서울 도봉구 덕릉로 54가길 25(창동 557-85, 우 01473)
전화 02)2237-3301 **팩스** 02)2237-3389
이메일 ssbooks@chol.com
홈페이지 http://www.ssbooks.biz

ISBN 978-89-8120-582-9(03810)

*책값은 뒤표지에 찍어 있습니다.

우연과 사랑

이봉진 지음

새로운사람들

사랑의 연속성이란 무엇일까?

　소설 <우연과 사랑>은 한 인간이 우연히 만난 한 여성과의 사랑에 대해 자신이 살아온 경험에 비춰볼 때 생명체였다고 고백한 작품이다. 인간의 삶에서 사랑은 동물적인 대응과 이지적인 실존이라는 두 가지 형태가 있는데, 이 소설의 작가인 나는 나 자신의 실생활 경험을 토대로 사랑을 기술하고 있다.

　사랑은 크게 본능적인 기구(機構)에 만족하는 사랑과 인간적인 조화를 중요시하는 사랑으로 분류할 수 있다. 전자가 유한적인 사랑이라면 후자는 영생을 추구하는 사랑이다. 영생을 추구하는 사랑의 경우 자연의 한 부분인 개체를 일체화하기보다 오히려 동질성을 위해 노력하는 실체가 사랑의 원형이라는 생각을 강조하고 있다.

　다시 말해 사랑과 근로(勤勞)는 분체(分體)가 자기에게만 주어진 능력을 다해 둘의 조화를 이루는 행위의 과정이라 정의하고 사랑의 연속 성장성을 강조하고 있다. 그래서 사랑은 오늘날의 한 가지 가치관에 함몰된 이념적인 일체성(一體性)이 아니라 서로 다양성을 인정하는 동일성(同一性)에의 끊임없는 대화와 창조적인 활동의 연속성에 정답이 있다고 주장한다. 그런 의미에서 동일성은 날로 성장하는 생명성이라는 것이다. 그래서 사랑은 조화와 동일성을 지향하는 에너지, 즉 생명체의 원천(源泉)이라 할 수 있다.

　바꾸어 말하면 서로가 하는 일을 즐기며, 서로의 일을 서로 도우면서 즐기는 근로의식이 심성을 행복하게 하는 삶의 보람이라 할 수 있기 때문에, 이 성격은 인간만이 가질 수 있고, 할 수 있는 생(生)의 가치인 셈이다. 이는 서로의 이지적(理智的)인 판단이 자기가 하고 싶은 일을 정하는 선택의 자유도를 높이는 것이다. 소설의 작가로서 나는 이런 점이야말로 인간의 심성이 동물적(이기적)인지, 비(非)동물적인지 구분하는 한계선이라 할 수 있다고 주장한다.

　성경에 의하면 원래 창조주가 만든 인간은 음(陰)과 양(陽)의 양극성(兩極性)을 가지고 있었다. 주(主)는 생각이 있어 아담의 갈비뼈로 이브를 만들어냈다고 한다. 이 이야기로 인해 혹(惑) 가부장적인 종전의 잘못된 해석과 관행 때문에 아직도 여자는 남자의 종속물처럼 여기는 관행이 있으나, 이 소설에서는 이성간의 결합에 대해 누구의 소개나 중매에 의해서가 아니라 서로가 자신의 분신을 발견하는 것이 우연이라고 설정한다.

　그리고 자기의 분신을 발견하는 이 우연성을 자신에게 주어진 천부의 기능을 열심히 신실하게 창의적으로 이용하는 과정에서 생기는 주의 은총으로 생각한다. 그래서 양성적인 동일성을 지닌 분체와의 화합은 남녀 서로의 이성이 필요로 하는 선택이고, 일시적인 성애보다 양자 간의 개성화를 서로 인정하고 동일성을 강조한 창조성(創造性)에 사랑의 기원이 있기 때문에 결과적으로 참 사랑의 성격은 영생을 추구하게 되는 믿음으로 발전하는 것이라고 이야기한다. 소설 <우연과 사랑>은 이와 같은 생각과 이야기를 작가인 나 자신의 실제 경험을 바탕으로 기술하고 있다.

끝으로 직접 원고 정리, 교정, 독후감까지 써준 나의 사우인 원태경(전 군산 YWCA 사무국장) 씨에게 감사 인사를 전한다. 그리고 '새로운사람들' 출판사 이재욱 사장의 권유로 이 책을 출판하게 되어 기쁘며, 그의 노고에 감사드린다.

2019년 11월

저자 裕庭

6

차례

1부
단편소설

우연과 사랑

성장 과정에서 알게 된 일들

나는 두 누나와 두 동생에게 둘러싸인 가정에서 자랐다.

큰누나의 남편은 제2차 세계대전 때 일본이 몰리기 시작할 무렵 학도병 총동원령이 내리자 일본 군대에 가는 것이 싫어서 대학을 중퇴하고 고향으로 돌아와 장인의 빽으로 소학교에 선생으로 취직해 있었다.

1945년 8월 15일 일본의 패전으로 광복이 되었지만 고향 제주엔 일본군이 아직 주둔하고 있을 때였다. 어느 날 누나 집에서 하숙하고 있던 분이 누나가 남편의 학창시절 앨범을 펼쳐 사진을 보고 있는 것을 어깨 너머로 보다가 돌연 누나에게 물었다.

"이 사람 누구입니까?"

누나가 그를 쳐다보고 되물으며 설명을 덧붙였다.

"왜요, 남편 친군데? 학창시절 일본에서 찍은 사진이에요."

그러자 그는 뜻밖의 이야기를 했다.

"이분이 지금 일본군 헌병 유치장에 사형수로 감금되어 있습니다."

"뭐요, 사형수?"

사형수가 된 내막은 다음과 같은 사연이었다. 오키나와에서 미군에게 패하면 제주도를 거점으로 미군에 재도전하여 방어한다는 것이 일본의 계획이었다. 그래서 항복하기 전에 제주도를 요새화하여 30만 대군을 집결시키고 있었다.

사형수로 갇혀 있다는 사람은 일본 본토에서 학도병으로 소집되어 제주도에 파견되기 전까지 일시 용산에 주둔한 적이 있었다.

이때 한국인 학도병들이 모의하여 함바에서 일하는 한인 아주머니에게 군대 급식에 독약을 붓게 했는데, 그 일은 실패로 돌아가고 사건의 주모자로 제주도에 파견돼 있던 양맹율 일등병이 채포되었다는 것이다.

사형수 양맹율은 군사재판에서 사형선고를 받고 집행일을 기다리는 도중 일본이 항복을 하여 종전이 선포되었음에도 석방되지 못하고 그대로 수감되어 있었다. 이 사실은 안 큰누나의 남편인 자형은 동분서주하며 손을 써서 그를 무사히 출옥시킬 수 있었다.

그는 출감되자 큰누나 집에서 한동안 식솔로 신세를 지고 있었는데, 언니 집을 드나들던 작은 누나의 미모에 반해 작은 누나와 결혼까지 하게 되었다. 일본에서 대학을 다니다 학도병으로 소집되었던 작은 자형은 지도력이 있어 고향에 돌아온 학도병 출신들을 모아 제주문화인회를 만들고 회장을 맡는 등 활발하게 사회운동을 펼쳤다.

그리고 현 오현중학교의 창립자가 되어 초대 교장을 맡기도 했다. 작은 자형은 미국의 문화교육사절단이 독립한 대한민국을 방문했을 때 제주의 교육자 대표로 출석했고, 불행하게도 서울에 가 있는 동안 발생했던 4.3 사건의 희생자가 되고 말았다.

작은 누나는 20대의 젊은 나이로 혼자되어 외둥이를 키우며 불쌍하게 일생을 마쳤다.

나의 학구(學究)에 대한 맹아(萌芽)

작은 자형이 작은 누나와 결혼한 해는 1945년이었다. 일본 헌병대 형무소에서 출감한 지 얼마 안 되었을 때였다.

작은 자형의 부모님은 일본에 남아 있었고 그곳에서 자그마한 중소기업을 경영하는 분이었다.

결혼하자 아버지는 작은 누나의 신혼집을 바다가 보이는 경치 좋은 곳에 마련해 주셨고, 나는 때때로 작은 누나 집을 드나들게 되었다. 내가 소학교 6학년 때 작은 자형이 축음기를 가지고 와서 들려준 SP판의 곡은 바하(Bach)의 <조곡>이었다. 생전 처음 들어보는 곡이어서 나는 지금도 이 곡을 좋아한다.

생각해보면 부모님은 지적인 면에 관심이 없는 가정이었으나 작은 자형 덕택에 지적인 관심사가 내 마음 속에서 자랐다고 해도 과언은 아니었다. 비록 작은 자형이 4.3 사건으로 단명 하는 바람에 짧은 한 때였지만 지금 와서 생각해보면 작은 자형은 내 인생의 진로에 큰 영향을 주신 분이었다.

작은 자형은 철학을 전공하신 분으로 집에 가보면 서재의 벽이란 벽은 온통 책장으로 짜여 있었다. 6학년의 어린 나이였던 내 기억에도 자형의 책장에 <무(無)>, <동양적인 무>, <니시다(西田) 철학> 등의 책이 꽂혀 있었던 기억이 난다.

중학교를 선택해야 하는 소학교 졸업반일 때는 작은 자형이 서울에 가서 경기중학교 아니면 보성중학교에 가도록 권해 주셨다. 불행하게도 태평양전쟁의 종전(終戰)과 더불어 들이닥친 호열자(虎列刺, 콜레라)의 만연으로 여행이 금지되는 바람에 작은 자형이 창립한 오현중학교에 응시할 수밖에 없었다.

중학교에는 수석으로 합격돼 3년 동안 A클래스 급장을 하였고 졸업할 때도 수석 졸업생으로 이사장상을 비롯하여 상이란 상은 독차지하다시피 하였다.

지금 와서 생각해보니 하나님은 완전한 행복을 주시지는 않는 것 같다. 소학교 시절부터 자형의 영향으로 공부를 해야 하는 동기부

여와 즐거움을 배운 셈이다. 음악, 미술, 철학 등에 대한 관심도 모두 작은 자형의 영향이었다. 그리고 뜻하지 않은 수석 입학으로 얻은 급장 직책도 학구 의욕을 가지게 하는 원동력이었다.

더구나 동네 친구 분들에게 아들이 공부를 잘한다는 이야기를 듣고 와서 좋아하시는 어머니의 모습은 어머니를 위해서도 공부를 열심히 해야겠다는 결심으로 이어졌고, 고향 중학교에서 공부하였던 것이 어머니를 기쁘게 하는 데 도움이 되었다는 생각이 든다.

해방 당시 호열자가 없었으면 서울로 가서 중학교에 진학했을 텐데, 그랬다면 고향에서만큼 어머니를 기쁘게 할 수 있었을까 하고 돌이켜보면 불행 중 다행이라 여겨지기도 한다.

이성에 대한 나의 관심

소학교 5학년 시절 한 이성을 좋아하게 된다. 또 그 이전에는 음악을 가르치는 여자 선생님을 좋아했다. 음악 시간이면 미리 풍금 속에 숨어 있다가 음악 선생님을 놀라게 했던 일도 기억이 난다.

내가 여성의 신비를 처음으로 느낀 것은 초등학교 5학년 때였다. 어쩌면 내가 남들보다 조금 조숙했는지도 모른다. 당시는 2차 세계 대전 중이었는데 일본의 전세가 기울고 있다는 걸 알게 된 재일(在日) 한국인들은 일본에서 고향 제주로 피난을 왔다. 우리 반에도 일본에서 소학교를 다니다가 전학 온 예쁜 여학생이 있었다.

강애정(姜愛貞, 일본이름 吉田貞子).

일본에서 왔기 때문인지 시골에서 자란 우리 눈에 그녀는 대단히 매력적이었다. 둥근 얼굴, 반짝이는 큰 눈, 눈코입이 모두 조화로운 귀여운 얼굴에 어린 마음은 그저 설렜다. 그녀는 공부도 잘해서 여자 반의 반장을 맡고 있었다. 그녀를 보는 것이 매일 학교 가는 즐거움이었다고 하면 지나친 말일까? 그녀는 비너스 같았고, 웬만한 사내아이들은 모두 그녀를 좋아했다.

6학년 때인 1945년 8월 15일 일본이 항복하면서 우리는 6개월 늦게 소학교를 졸업했다. 그리고 저마다 중학교에 입학하면서 나는 그녀를 잊고 있었다.

중학교에 들어가 1년이 지났을까? 새벽에 통학하는 길이었는데, 죽창에 찔린 환자들을 업고 서둘러 병원으로 달려가는 등 제주시는 평소의 평온한 분위기가 아니었다. 알고 보니 남로당(南勞黨)이 폭동 궐기의 날로 잡고 일제히 제주시를 제외한 전도(全道)의 파출소를 습격한 사건이 일어난 4월 3일이었다.

나는 멋도 모르고 학교에 가서 출석부를 들고 학생들의 출석을 불렀다. 실은 학교도 총파업으로 학생 수도 평소 같지 않았다. 출석을 불렀다는 이유로 나는 '반동 새끼'라는 누명을 쓰고 집단폭행을 당했으며, 이 사건으로 인해 나는 공산주의와는 무관한 일생을 보내게 되었으니 다행이라고 생각할 수도 있겠다.

사건이 나기 전, "공산주의가 가능한가요?" 하는 나의 철부지 질문에 당시 공민을 가르치던 작은 자형은 흑판에 마음 심(心)자를 크게 쓰며 인간이 마음을 가지고 있는 한 공산주의는 불가능하다고 설명해주던 일이 아직도 인상적으로 기억에 남아 있다.

어느 날이었다.
애정의 어머니가 나를 찾아와 "애정이가 밤중에 집에 왔는데 어떻게 하면 되겠느냐?"고 나에게 의논을 했다. 나는 그 길로 애정의 어머니와 함께 그녀의 집에 가서 그녀를 데리고 학교에 주둔하고 있던 정보부 파견 분실로 갔다.

그곳에는 나와 친하게 지내며 나를 아껴주던 최원식 선임상사가 근무하고 있었다. 나는 그에게 애정을 데리고 가서 다짜고짜 "나의 4촌 누나를 살려주세요." 하고 부탁을 하였다.

다행히 보람이 있어 그녀는 2박3일 만에 자유의 몸으로 석방이 되었다. 애정의 어머님은 나를 은인으로 여겨 장래 둘이 결혼하라고 은근히 제안하기도 했다.

나는 소학교 시절부터 좋아하던 사람이어서 단번에 "그리 하겠습니다." 하고 약속을 하였다.

서울로 유학하기로 정해져 있었던 때라 둘이서의 짧은 만남을 끝으로 나는 서울로 가야 했다. 이런 이야기를 어머니에게 털어놓았더니 어머니는 반대하며 나를 나무라셨다.

서울로 떠나던 날 애정은 동생 강문창이를 시켜 한 통의 편지를 보내왔다. 그 편지는 연문(戀文)이었는데, 6.25 때 피난을 다니다가 잃어 버렸다. 그 편지를 읽으며 글을 무척 잘 쓴다고 생각했는데, 알고 보니 그녀는 문학소녀였다.

동생 강문창은 후일 서울상대를 나와 두산기업에 취직해 두산건설의 사장, 회장을 지낸다. 나중에 내가 역삼동에 빌딩을 지을 적엔 두산에서 무료로 감리를 해주었다. 아내는 강애정은 알고 있었지만 강문창이가 애정의 동생인 줄은 모른다. 고향에선 공부를 잘하는 집안이었다.

서울에서 6.25를 겪고 구사일생으로 집에 와보니 약혼녀는 보이지 않았다. 어차피 집안에서 반대하는 약혼이었고 설마 나를 기다리고 있을 것이라는 생각도 들지 않았다. 그녀가 어딘가에서 좋은 사람 만나 잘 살고 있으려니 생각하고, 나는 그 후 크게 신경을 쓰지 않게 되었다.

서울로 가자

아버지는 만주와 일본을 상대로 곡물 교역을 해서 재력이 있었기 때문에 나는 소년기를 불편 없이 지낼 수 있었다. 고향에서 중학교를 수석으로 마치게 되었을 때 담임 선생님이 아버지에게 나를 서울로 보내라고 충고하셨다.

아버지는 담임 선생님의 충언을 무심히 받아들이며 내가 고향에서 적당히 공부한 다음 당신의 일을 도와주면 좋겠다고 생각하셨던 것 같았다. 그런데 아버지 곁에서 담임 선생님의 말씀을 함께 듣고 있던 어머니는 달랐다. 어머니는 아들을 서울로 보내 공부시켜야겠다고 결심하셨던 것이다.

어느 날, 어머니께서 나를 부르셨다.

"진아 가자."

"어디로요?"

"서울이지, 빨리!"

항구에 정박 중인 연락선은 출항을 예고하는 고동소리를 울리고 있었다.

"빨리, 빨리!"

어머니는 보따리 하나를 안고 나를 재촉하며 내 손을 잡고 서둘러 항구로 데려가 배에 태웠다. 그렇게 하여 나는 어머니의 손에 이끌려 서울로 올라갔던 것이다.

어머니의 친구 분과는 사전에 여러 가지 의논이 되어 있었던지 서울에 도착하자마자 친구 분은 그의 조카사위를 불러 나를 소개하였다. 그는 당시 서울대 법학부 조교수였는데, 장면 정부 시절 주미 한국공사를 지낸 유명한 고광림 교수였다.

그분의 안내로 나는 경동고등학교에 가서 강 교장 선생님에게 소개되었다. 제출한 나의 성적을 보고 "제주에서 수재가 왔구나." 하며 당장 그날부터 학교에 남아 공부할 수 있게 되었다.

모든 일이 일사천리로 처리되고 나는 어머니의 친구 분 댁에서 하숙하기로 되어 있었다.

"진아, 이 아주머니를 엄마로 알고, 공부 열심히 해라."

어머니는 이렇게 당부하시며 귀향을 위해 서울역으로 가셨다.

서울 생활

서울 생활은 한 마디로 전혀 새로운 경험이었다.

이제껏 어머니 품에서만 지내다가 열여섯 살이 되어 갑자기 남의 집에 들어가서 살게 되었으니 내 인생과 인격의 형성에도 큰 영향을 끼쳤을 것이다.

약수동의 언덕배기에 있었던 하숙집은 해방 후 미국의 원조로 지어진 20평 정도의 서민주택단지 중의 한 집이었다. 성냥갑처럼 같은 규격으로 지어졌고, 방 3개, 마루, 부엌, 화장실, 작은 부엌으로 꾸며진 집의 내부구조도 똑같았다.

비교적 큰 안방은 소학교 다니는 외동딸과 주인이 쓰고, 작은 방은 결혼한 큰아들이, 다른 한 방을 영등포공고 3학년생인 넷째 아들과 내가 같이 썼다.

새벽 일찍 일어나 보면 며느리가 부엌에서 식사 준비를 하고 있었다. 아침 식사는 각자가 알아서 했다. 학교가 멀리 영등포에 있는 넷째아들이 일찍 등교하고 나면 넷째아들과 함께 쓰는 방에서 이불을 치우고 청소를 하는 것은 내 몫이었다. 그렇게 하고 한동안 책상에 앉아 공부를 하다가 시간이 되면 아침식사를 한 다음 싸준 점심도시락을 가지고 학교에 갔다.

학교가 성북구 돈암동에 있었기 때문에 처음에는 을지로3가에 가서 돈암동 행 노면전차를 이용하였다. 그런데 가끔 정전으로 전차가 도중에 서 버리는 바람에 학교 조회시간에 늦지 않으려고 나머지 거리는 달려가야 했다. 달리기에는 나름대로 자신이 있었지만 전차를 타고 가다가 내려서 달려가는 일은 어쨌든 난감한 통학이었다.

중학교 때 나는 달리기 선수였다. 학교의 육상 대표로 뽑혀 도민대회에서 다른 학교 선배를 제치고 이기는 바람에 건방지다는 이유로 타교생들에게 집단폭행을 당했던 경험도 있다. 그래서 전차가 도중에 멈추면 전차에서 내려 달려가는 일이 못할 짓은 아니었지만, 그런 일이 비일비재하니 아예 전차 타는 것을 포기하고 걸어서 통학하기로 했다.

아침에 조금 일찍 집에서 나오면 동대문을 거쳐 동덕여학교를 지난 다음 자그마한 산을 넘어가는 통학 길로 1년 동안 걸어 다녔다. 학교수업이 끝난 다음에는 학우 맹선재와 함께 같은 길로 하교하다가 동대문에서 서로 헤어졌다.

맹선재는 나중에 서울대학교 문리대 물리학과를 나와 국비장학생으로 오스트리아 비엔나대학에 유학하여 박사 학위를 받은, 우리나라를 대표하는 물리학자인데, 나에게는 고등학교 시절의 유일한 친구이다. 나보다 탈모를 늦게 시작했는데도 이제는 다 벗어져 머리카락 하나 없는 까까머리가 되었지만 아직도 서로 공부를 하는 친구 사이다.

객지에서의 하숙생활은 주변의 식구들에게 무척 신경을 써야 했다. 이 경험은 나의 성격 형성에 상당한 영향을 미쳤다고 생각된다. 집에선 흰 쌀밥을 먹다 하숙집에선 항상 보리밥을 먹어야 했다. 도시락을 싸주면 그 자리에서 먹고 학교로 가야 했다. 방과 후에는 배가 고파 하숙집으로 돌아가는 도중 장충단공원 길가에서 인절미를 사먹곤 허였다.

하숙집에서 식구들과 같이 저녁을 먹고 나면 나는 이불을 둘러쓰고 책상에 앉아 공부를 하다가 자는 것이 일상이었다.

어느새 자다가 깨어나 책상 위에서 글씨를 쓰려면 잉크가 얼어 있었다. 이런저런 일을 어머니에게 편지를 해본 적은 없었다. 이런 하숙생활이 1년이었다.

고등학교 생활도 나는 미처 생각지 못했던 이상한 분위기가 있었다. 반말 욕은 보통이고, 시골에서 왔다는 이유로 학급의 '가다(힘 있는 자)'가 늘 괴롭히기도 했다. 당시 서울의 치안이 불안해 우리는 학교를 지키기 위해 야경(夜警)을 하는 일도 있었는데, 야경하던 급우가 술을 마시는 바람에 다음날 불려가 그들과 함께 퇴학 처분을 선고받은 일도 있었다. 시험이 가까워지면 담임이 부른다고 거짓말을 하여 담임 선생님에게 갔다 와보면 정리해둔 나의 노트가 없어지기도 했는데, 서울에서 일류라는 학교의 이런 풍습이 나에겐 이상하게 여겨졌다.

나는 하는 수 없어 박태원 헌병감에게 일러 벌을 주라고 이야기 하겠다는 말까지 한 적이 있었다. 당시 고향에 있을 때 나를 아껴주 던 박태원 소위가 헌병감이 돼 있었다. 그는 후일 박정희 정권 때 치 안국장과 경기도 지사를 지내기도 했다.

이런 사정이다 보니 서울의 고등학교에 대한 애착은 없다. 그러 나 그런 중에도 공부 잘하고 나를 동정했던 좋은 친구가 있다. 학교 를 마치면 동대문까지 함께 걸어 다녔던 맹선재 박사. 그와는 아직 도 만나면 공부 이야기를 하는, 고등학교 시절의 유일한 친구인데 아직 살아있다.

편입하고 1년 지나서 나는 5학년에 진학해 본격적으로 공부하기 로 맘먹고 일본에 거주하는 큰 누나에게 일본 고등학교 교과서를 보내달라고 부탁하였다. 얼마 후에 큰 자형이 일본 고등학교의 미 적분 교과서를 보내 주었고, 나는 이 교과서를 가지고 혼자 공부를 하고 있었다.

맘먹고 공부를 시작한 지 한 달쯤 되었을까?

어느 일요일 새벽, 라디오에서 아나운서의 다급한 목소리를 들었 다. "휴가 중인 장병들은 급히 본대로 귀대하라."는 방송이었다. 무 슨 큰일이라도 났나 하고 여기저기 수소문하였더니 "북한이 오늘 새벽같이 남침을 했다."는 것이었다.

우리 민족의 비극이었던 6.25 동란을 나는 이렇게 서울에서 경험 하였다. 며칠 후 서울이 북한 인민군에게 점령당하자 낮이면 젊은 이들은 모두 나오라 해서 진지 구축을 하였고, 밤이면 공회당에 집 합시켜 출입문을 잠가놓고 인민군으로 지원하도록 강요하는 매일 이었다.

하숙집 주인아주머니는 어머니의 친구였다. 그러나 그 집 아이들은 모두 좌익이었다. 집안 분위기가 이상해 나는 하숙집을 떠나 고향에서 학업을 위해 서울에 온 친구들 집을 찾아다니며 동가식서가숙(東家食西家宿) 신세를 졌다.

어느 날이었다. 친구 집으로 찾아가는 길에 거리에서 빨간 완장을 찬 교도원에게 잡혀 종로구에 있는 일신국민학교에 수용되었다. 거기서 1주일 동안 세뇌교육을 받고 인민군 입대 요원으로 이북에 강제로 끌려가게 되었다.

인민군 예비후보

인민군 지배 하의 서울생활은 힘들었다. 배가 고프면 가지고 있던 일한사전, 영일사전 등 일본 책을 팔아 충무로 시장에서 밥을 사먹을 정도였다.

친구 집으로 찾아가던 도중에 완장을 찬 보위부 요원에게 붙들려 수용소에 수감된 것도 그 무렵이었다. 그들은 노상에서 남자면 모조리 잡아가 수용시켜 세뇌 교육과 함께 김일성 노래 등을 가르친 다음 일정기간이 지나면 모두 이북으로 데려갔던 것이다.

나도 일신국민학교에 1주일 동안 수용돼 똑같이 세뇌교육을 받았고, 김일성 찬양 노래, 빨치산 노래 등을 배워 이북으로 끌려가게 되어 있었다.

이북으로 가는 날은 날씨도 맑았다. 1주일 간 잡아들여 조국통일전선 돌격요원으로 이북에 군사훈련을 받으러 가는 사람은 대부분이 젊은이였다. 질서정연하게 줄지어 일신국민학교를 떠난 젊은이들이 인민군 지망생이라는 프로파간다의 소음 속에서 이북으로 끌려가고 있었다.

북행한 지 몇 시간 지났을 때 갑자기 미군기가 내습(來襲)하자 질서정연하게 끌려가던 대열은 단숨에 흐트러졌다. 8월의 서울 하늘은 맑았지만, 미군기가 24시간 공중을 돌다 이상한 집단이 보이면 급강하면서 기관총을 쏘아댔다.

미군기의 공습이 이어지는 가운데 점심과 저녁을 굶으면서 북행을 계속하자니 인솔하는 사람들도 통제 불능의 상태일 수밖에 없었다. 인솔자들은 하는 수 없이 각자 몇 날 몇 시까지 어디로 모이라고 집합장소를 정해주고는 흩어지게 했다. 우리는 각자 알아서 지정한 일시에 지정한 장소로 찾아가야 했다.

동두천을 지났을 무렵, 나는 인솔자가 정해준 목적지로 가는 샛길 그늘에서 쉬고 있는 고향 선배를 만났다.

반갑기도 하여 말을 건넨다.

"선배님, 뭐하시는 겁니까? 시간 늦겠어요."

"이리 앉아봐. 이놈들 전쟁에 지고 있으면서 이기고 있다고 거짓말하는 게 틀림없어. 우리 여기서 도망가자."

그 선배는 서울대 문리대를 다니던 대학생이었다.

나도 뭔가 낌새가 이상하다고 생각하던 차에 선배의 이야기를 들으니 정신이 번쩍 났다.

"네, 그러지요."

내가 선배의 의견에 공감하자, 우리는 그 길로 산에 올라가 산정(山頂) 바로 아래의 능선을 따라 서울로 향했다. 2박3일 산에서 노숙을 하고, 쫄쫄 굶으며 서울에 도착했다. 젊다고는 하지만 도대체 몇 킬로를 걸었는지 모른다.

바지는 찢어지고, 손발이며 얼굴 할 것 없이 긁혀서 피가 흘러내린 자국은 누가 보든 거지 중에서도 상거지 꼴이었다.

어둠을 택해 서울로 잠입한 우리는 한적한 밤중에 도심으로 들어갔다. 선배의 알선으로 당시 충무로 대원백화점 앞에서 고향분이 경영하는 철물점에 몸을 숨길 수 있었다. 나는 그 철물점의 천정(天井)에서 숨어 살았다.

빨간 완장 찬 사람들이 밤낮을 가리지 않고 집을 수색하는 바람에 화장실에 가려고 천정에서 내려오다 현관문을 두드리는 소리에 급히 천정으로 다시 올라가 소리를 죽이고 숨은 회수는 헤아릴 수 없을 정도였다.

그러다 어렵사리 서울이 수복되었고, 나는 며칠 후 하숙집으로 찾아갔다. 하숙집엔 아주머니 혼자 남아 있었다. 아이들 둘은 자진하여 인민군에 지원하였다고 이야기했다. 나는 아주머니에게 하숙 전세금을 돌려받고 숨겨준 집으로 가서 주인에게 전세금 중에서 고향 가는 데 필요한 비용을 뺀 나머지 돈을 전부 건네주면서 말했다.

"다음에 서울 와서 복학하게 되면 하숙시켜 주시는 조건으로 이 돈을 드리는 겁니다."

그런 다음 나는 서울역으로 향했다.

그날의 서울역

서울역에 도착해보니 인산인해였다.

피난민 속을 헤엄치듯 떠돌다가 플랫폼에 가보니 부산행 완행열차에는 차량의 지붕 위에까지 사람들이 빼곡하게 타고 있었다. 나는 혼자여서 인산인해의 사람들을 비집고 겨우 군수(軍需) 열차 안으로 들어갈 수 있었다.

흔히 객차가 열두 칸인 열차 또는 부산역과 용산역에서 각각 출발하여 열두 시간 만에 용산역과 부산역에 도착하는 십이 열차라는 것도 있었는데, 어쨌거나 당시 서민들이 그나마 얻어 탈 수 있는 교통수단이었던 것만은 틀림없다.

이때 피난길에 군수 열차를 탔던 경험은 일생 잊어버릴 수 없는 나의 고난 중의 한 추억으로 아직도 기억에 생생하게 남아 있다.

몇 시간이 지나서 대구역에 도착했다. 배도 고프고 허기가 져서 사먹은 것이 대구 사과였다. 어찌나 맛이 있던지 그 맛은 아직도 내 미각에 남아 있다.

나는 그때의 기억으로 대구 사과를 좋아해서 지금도 대구 사과를 자주 사고 선호한다.

저녁 무렵 우리가 탄 열차는 고동소리와 함께 부산역에 미끄러지듯이 도착하였다.

열차는 지방에서 서울로 상경했다가 전쟁 통에 서울에 발이 묶였던 사람들이 수복 후에 서둘러 고향으로 돌아가느라 몹시도 붐볐다. 그나마 짐칸이라도 올라타면 운이 좋은 편이었다.

몸을 자갈처럼 굴리면서도 고향으로 갈 수 있는 사람들은 행운아라 불릴 정도로 당시의 기차여행은 생지옥을 방불케 했다.

5년 만에 중학교 동창을 만나다

열차에서 내리니 열차를 기다리는 해병대 한 무리가 있었다.

"야! 봉진아, 너 살아있구나."

내 이름을 부르며 한 해병대가 나에게 접근하며 다가섰다.

"너, 원철이지? 너도 살아있구나."

모자와 어깨에 해병대 소위 마크가 빛나고 있었다. 중학교 동창으로 공부 잘하던 같은 반 공부 친구였다. 4.3 때 공비를 따라 입산했던 친구, 나는 출석부를 들고 출석을 부를 때마다 이 친구의 결석을 마크하지 못하고 항상 출석했던 것처럼 표시해 두었던 친구인데, 5년 만에 재회한 것이었다.

"어떻게 된 거야?"

"응, 혈서를 쓰고 자원해서 해병대에 입대했지. 급조 간부후보생 교육을 받은 다음 인천상륙작전에 참가하고, 오늘 부산에 와서 지금 이 기차를 타고 원산으로 가는 도중이야."

그야말로 인생유전이 따로 없었다. 살아있다는 것이 얼마나 기뻤던지 우리는 둘이서 한참을 서로 끌어안고 울었다.

"원철아, 죽지 마."

"염려 마. 인천에서 죽을 고비를 몇 번 넘었는데, 사는 요령이 있어. 살려고 하면 죽고, 이를 악물고 죽겠다고 덤벼들면 살게 돼. ……근데 봉진이 너는 지금 어디로 가?"

"어머니 만나러 가. 제주 가는 배가 몇 시에 있는지 모르겠네."

"연락선이 와야 하는데, 며칠 걸릴 걸."

모이라는 나팔소리에 친구와는 그렇게 헤어졌다.

기약 없는 재회를 기약하며.

연락선이 올 때까지 며칠 있을 곳을 찾아다니다 고등학교 시절 급장을 하던 친구 이현철을 영도다리 앞에서 우연히 만났다.

　"봉진이 너, 미리 이곳으로 피신한 모양이네."

　"나는 지금 서울에서 내려왔어."

　"그래, 나는 가족들과 함께 진작 부산으로 피난을 와 있었지."

　나는 친구와 함께 중국집에 들어가 만두를 사먹고 서로 헤어졌다.

　항구 근처에 숙소를 정한 다음 남포동에서 설렁탕을 사먹었다. 처음 먹어보는 음식이라 처음 경험하는 맛인데도 매우 맛있게 먹은 기억이 있다. 끼니를 해결하고 나면 갈 곳이 없었던 나는 주변의 다방에 가서 커피를 마셨다.

　다방의 카운터에 앉아 있는 여인이 미인이었다. 나는 여인의 아름다움을 감상하며 시간을 보내는 즐거움을 발견했다. 이런 일이 습관이 되어 아침 커피를 마시러 갈 때마다 다른 미인이 카운터에 앉아 있었다. 하도 이상해서 하루는 커피 마시는 옆자리의 손님에게 물어봤다.

　"카운터의 아름다운 여인은 왜 이렇게 자꾸 바뀌는지요?"

　"임자가 생겨서 간 것이지요."

　임자가 생겨서 자리를 비웠다는 것이다. 먹여만 주면 자기 몸도 정신도 버리는 시대였다. 더구나 인간의 육욕(肉慾)은 결혼한 사람만의 권한인 줄로만 알고 있었던 내 상식이 허물어진 순간이었다. 이것이 전쟁 때문이라면 전쟁이란 도대체 무엇일까?

　전쟁이 인간의 존엄성 아니 인간성을 동물처럼 만들어 버린다는 사실이 슬퍼졌다. 먹을 것만 주는 사람이 있으면 그가 내 주인이라는, 오늘의 공산주의 형태 따위를 이념으로 삼는 사람들을 이해하기 힘들다.

인간이 사는 데 식생활이 매우 중요하지만, 지조만은 소중히 해야 하는데 그게 아니었다. 알고 보니 미인은 유혹이 많아 인생을 그르치는 경우도 그만큼 많다는 사실이 이해된다. 전쟁의 그늘이라 생각하니 무상한 인생이 슬퍼진다. 내 애인도 아닌데 왜 이리도 슬퍼하는지 나도 이상한 사람인가 하는 생각이 들어 잊어버리기로 하고 선창가로 가봤다.

제주행 연락선이 들어와 있었다.

어머니와의 재회

미리 소식도 못 드리고 간신히 돌아온 나의 집.

대문을 열고 들어갔는데 집안에는 사람이 아무도 보이지 않았다. 골방에서 불빛이 새어나와 들여다보니 정화수를 떠놓은 어머니가 촛불을 켜놓고 양손을 비비며 아들의 무사를 빌고 있었다. 하얀 색의 헐렁한 옷을 입고 얼마나 오랫동안 기도를 하신 건지. 아마도 매일 같이 저렇게 기도하셨을 거라고 생각하니 눈시울이 붉어졌다.

나는 잠시 그 광경을 가만히 지켜보다가 눈시울을 닦으며 "어머니, 어~머~니!" 하고 어머니를 불렀다.

"어머니, 저 돌아왔어요."

어머니는 놀라서 뒤를 돌아보고 내 얼굴을 보더니 그 자리에 주저앉아 우시는 것이었다. 어머니를 일으켜 세워 흐르는 눈물을 닦으며 부둥켜안고 울고 또 울었다. 둘이 얼마나 울었는지 남이 보면 참으로 진풍경이었으리라.

어머니는 내 얼굴을 만지면서 끌어안고 울고, 나도 어머니 품에서 울고 또 울었다.

그런데 작은 누나가 나를 찾아 육지로 나갔다고 한다. 어머니가 누나에게 동생 찾아오라고 얼마나 괴롭혔을까 생각하니 또 눈물이 나왔다. 둘째 동생은 군에 갔고, 막내는 부산에 갔다고 했다.

죽을 고비를 몇 번씩 넘기고 고생 끝에 집으로 돌아와 어머니와 재회하고 부둥켜안으며 운 것은 나의 아프고도 아름다운 추억이다. 또 다시 어머니와 그런 기쁨의 재회를 하면 어떨까 하고 생각하면 눈물로 이 기억이 지워져 버린다. 마음은 한순간의 감정이고 돌아서서 생각해보면 인생의 공허함을 의식하는 것이 사람이라는 것을 절실히 경험하며 살아왔다.

일본 밀항을 결심하다

며칠이 지난 어느 날, 나는 어머니에게 이야기하였다.

"공부하기 위해 큰누나가 있는 대판(大阪)으로 가겠습니다. 공부 잘하고 성공해서 돌아오겠습니다."

그러자 어머니는 펄쩍 뛰셨다. 여기서 공부하고 살라는 것이었다. 내가 자꾸 고집을 하자 어머니는 집을 나서는 나를 울며 붙드셨다. 그래서 나는 서울에 가서 공부하겠다고 어머니를 안심시킨 다음 아버지에게 받은 학자금으로 부산에서 밀항선을 타기로 했다.

부모님을 배신하였다는 생각 때문에라도 나는 공부에 매달려야 한다고 결심했고, 그런 결심에 반하는 행위를 멀리 할 수 있었다. 부모님을 속이고 학비를 챙기고 부산에서 일본 밀항까지 하게 된 이상, 나의 선택은 제대로 공부하는 길밖에 없었다.

밀항하려고 탄 배는 물고기를 싣고 다니는 작은 운반 어선이었다. 몇 사람만 타도 비좁을 어선의 선창은 밀항하는 사람들로 꽉 차 있었다. 비좁은 선창에서 누군가가 몸을 움직이다 자신도 모르게 물 마개를 차 버리는 바람에 선내에 물이 들어와 배가 침몰할 지경에 이르자 되돌아온 다음 두 번째 시도에서 성공하였다.

한밤중에 부산항을 출발한 밀항선은 우리를 대마도에 하선시키고 돌아갔다. 인도자의 지시에 따라 우리는 일단 산에 올라가 숨어 있다가 약속된 시간에 대마도에서 어물 운반선을 탔다. 어물 운반선은 우리를 시모노세키[下關]항에 내려놓으며 각자 행동하라는 신호를 남기고 시계에서 사라졌다.

나는 같이 밀항했던 친구 이응성과 함께 지하실에서 숨을 죽이고 새우잠을 자고 있었다. 그러던 중 갑자기 불이 켜져서 일어나보니 우리가 자고 있던 곳은 기차역의 지하도였다.

새벽에 오사카(大阪)행 기차를 탔는데 알고 보니 우리 기차는 급행이 아니라 완행열차였다. 역에 정차할 때마다 새벽시장에서 물건을 떼어오는 상인들로 객실이 붐볐다. 앞에 앉은 할머니는 집에서 싸갖고 나온 아침식사를 우리에게 권했다.

"괜찮아요, 할머니."

처음에는 정중하게 거절했지만, 할머니는 "젊은이들이 새벽부터 기차를 타느라 배가 고플 터인데 먹어봐요." 하며 자꾸 권하셨다. 결국 할머니의 호의를 받아들여 아침을 같이 먹고 자연스럽게 이런저런 이야기를 나누게 되었다.

일본어를 오랫동안 쓰지 않다가 기차에서 할머니를 만나 이야기를 하다 보니 잊었던 단어와 표현이 생각나고 조금씩 일본어가 자연스러워졌다. 생각해보면 그때 할머니와 대화를 나눈 덕분에 오사카 파출소의 순경과 대화하면서 의심을 받지 않았던 것 같다.

나는 일본에 와서 처음 받아보는 호의였지만 기차를 타고 내리는 행상인들이 친절함에 감동을 받았다. 짐짝처럼 화물열차의 빈 곳에 겨우 몸을 싣고 부산으로 내려갈 때의 군수(軍需) 열차를 생각하니 오사카 행 완행열차는 우리나라에는 없는 특급열차나 다름없었다. 이 기차를 타고 가면서 나는 일본인의 인정(人情)을 직접 눈으로 보고 느낄 수 있었고, 좋은 세상에 온 기분이 들었다. 위험한 밀항으로 입국하느라 고단했던 나는 기차에서 잠깐씩 졸기도 했다.

그러다가 눈을 뜨니 갑자기 주변이 환해졌다.

처음 보는 형형색색의 네온광고가 보이고 그 빛이 눈부시게 밤하늘을 비추고 있었다. 기차가 역에 미끄러지듯 들어가더니 멈춰 섰다. 빨간 모자를 쓴 사람들이 "오사카 역! 오사카 역!" 하고 소리를 질러 우리는 '여기가 오사카역이구나.' 하며 자리에서 일어났다.

오사카 역에 도착하니 이미 날이 저물어 밤중이었다. 완행열차로 시모노세키에서 오사카까지는 12시간 정도 걸렸나 보다. 기차에서 내려 처음 맞닥뜨린 오사카 역은 서울역의 몇 배나 되는 규모였다.

오사카에서 8년 만에 큰누나 만나다

우리는 무작정 택시를 탔다. 당시 택시는 3륜(輪) 오토바이여서, 달리면 승차감이 나쁜 것은 당연하고 사람이 짐짝처럼 흔들리는 수

준이었다. 엔진도 오토바이 엔진이라 소리가 무척 요란했다. 나는 운전수에게 주소가 적힌 쪽지를 내밀며 점잖은 일본어로 "이 주소지로 가주세요." 하고 말했고, 내 말대로 주소지 가까이는 갔는데 번지수를 제대로 찾지 못한 택시는 주변을 뱅뱅 돌았다.

나는 운전수에게 '저기 보이는 파출소에서 내려달라.'고 하여 파출소 안으로 들어갔다. 순경이 앉아 있기에 주소 쪽지를 보여주고 위치를 물었다. 순경이 파출소 밖으로 나와 방향을 가리키며 친절하게 안내해 주었다. 가르쳐준 대로 누님 집을 바로 찾아갔는데, 우리는 코앞에서 근처를 빙빙 돌고 있었던 것이다.

누님 집으로 들어가자마자 큰누님은 나를 안고 울음을 터뜨렸다. 소학교 6학년 때 헤어진 후로 8년 만에 누님을 만나는 감격적인 순간이었다.

"어떻게 이렇게 잘 찾아왔냐?"

"근처 파출소로 들어가서 순경에게 물어봤지요."

그러자 누님은 하얗게 질린 얼굴로 큰일 날 뻔했다면서 안도의 한숨을 쉬고 가슴을 쓸어내렸다. 순경이 눈치를 못 채서 다행이지 일본 말을 듣고 이상하다고 느끼면 바로 본국으로 강제 송환시킨다는 것이었다. 멋모르고 저지른 일이었지만 운도 따랐던 것 같다.

2차 대전 말기 학도병 소집을 피해 고향으로 피신했던 자형을 따라 딸 현지(賢枝)를 데리고 밀항하여 다시 일본으로 건너온 큰누나와 8년 만에 일본에서 재회하게 되었던 것이다. 큰누나는 나보다 나이가 10살이나 많았지만, 아버지 사업을 돕던 어머니를 대신해 귀하게 얻은 동생인 나를 도맡아 키우다시피 하였기 때문에 큰누나와 나는 아주 각별한 사이였다.

큰누나는 학교에서 돌아오면 동생인 나를 업어 키우다시피 했던 것이다. 큰누나는 소학교를 졸업한 다음 일본에서 양재학교에 다니고 있었는데, 내가 소학교에 다닐 때도 항상 나의 수준에 맞는 책을 꼬박꼬박 보내주셨다.

나의 독서 습관은 이런 큰누나 덕분이 아닐까 싶다.

큰누나가 밀항까지 하며 오사카로 느닷없이 자기를 찾아온 동생이 제대로 공부하는 데 필요한 외국인 등록증을 만들어주려고 애를 쓴 것은 당연한 일이었다.

외국인 등록증, 그리고 동경으로 떠나다

누님이 주선한 브로커를 만나 외국인 등록증을 만들고 나는 대학 입시 공부를 시작하기로 했다. 밀항한 처지였지만 누님이 돌봐주니 일상생활은 편해졌다. 나는 10km나 떨어진 학관에 다니기로 하고 공부를 시작했다. 같이 밀항했던 친구 이응선 군은 2~3일 있다가 동경으로 가고 나 혼자서 학관에 다니게 되었던 것이다.

그러다가 외국인 등록증의 유효기일을 갱신할 때가 되어 나는 등록증을 만들어준 브로커와 함께 구역소(區役所, 구청)에 갔다가 낭패를 당했다. 브로커가 등록증을 갱신해 오겠다며 내 외국인 등록증을 가지고 담당자에게로 갔는데, 잠시 후 다급히 나오더니 안 되겠다며 도망가야겠다고 말했다.

하는 수 없이 대체 외국인 등록증을 만들어 일단 가명으로 자형이 다니던 고등학교, 게이오[京王]고등학교(현재는 전수[專修]대학 부속고등학교)에 다니기로 했다. 가짜 이름으로 학교를 다니면서

34

밀입국을 자수하고 제대로 된 외국인 등록증을 만드는 게 좋겠다는 의견이었다. 밀입국 자수 내용에 대해서도 의견을 모았다.

'오사카(大阪) 대공습 때 부모님을 여의고 고아가 되어 지인 분이 돌봐주셨다. 그동안 집안에서 심부름을 하고 살다가, 철이 들어 공부가 하고 싶어 학교에 가려고 하는데 외국인 등록증이 없어 입학 시험조차 볼 수 없어 외국인 등록증이 필요하다는 것을 알았다. 자수하여 외국인 등록증을 발급받고 싶다.'

이런 내용으로 자수를 한 다음 재판을 받고 정식으로 외국인등록증을 받기로 했다. 브로커를 통해 이성범(李聖範) 씨를 소개받았다. 전시에 고아가 된 나를 데려다 키워주신 고향 사람이라고 내세워 그가 살고 있는 니시나리구(西成區) 경찰서의 한 형사를 매수해 자수를 했다.

경찰서에서 하룻밤을 새고 조서를 꾸민 후 다음날 출서(出署)한 나는 동경으로 가서 자형의 모교인 고등학교 3학년으로 편입하기로 했다. 다행히 자형이 학교를 다니던 시절의 선생님이 계셔서 수속은 쉽게 마칠 수 있었다. 서둘러 동경으로 가려고 한 것은 아무래도 누님과 같이 있으면 나 자신이 나태해지는 것 같았기 때문이다. 편안함을 벗어나야 한다고 생각했다.

동경으로 가기 전에 법적으로 양부가 된 이성범 씨 댁에 가보니 그는 참기름 류의 폐품 통을 수거하며 이를 재생해 되파는 일을 하고 있었다. 어렵게 살지만 딸을 대학에 보내고 있어 공부에 관심이 있는 분이라는 생각을 했다.

이성범 씨는 의과대학에 다니는 자기 딸 다미노 가스코(民野和子)를 나에게 소개해 주었다. 나는 그녀가 나보다 나이가 많다는 것을 알고 누나라고 부르며 따랐다. 급전이 필요하면 돈도 빌려주고 친누나처럼 내게 무척 잘 해줬다. 당시 가스코 누나는 어느 병원의 인턴으로 근무하고 있었다.

동경으로 떠나던 날, 큰누나는 내게 증서 한 장을 주면서 말했다.

"이 사람은 사업에 실패하고 야반도주하여 지금 동경에 있어. 내가 이 사람한테 돈을 꿔줬다는 증서인데 찾아가서 돈을 돌려받고 네 용돈으로 쓰렴."

증서 한 장을 들고 동경에 와서 자형이 살던 아사쿠사[浅草]에서 잠시 신세를 졌다. 자형이 졸업한 게이오[京王]고등학교 3학년으로 편입했는데 같이 밀항했던 친구 응선이도 나랑 함께 이 학교에 다니게 되었다.

일본에서 첫사랑 그녀를 만나다

일본에 가서 고향에서의 첫사랑 그녀를 만날 수 있었다.

고향에서 그녀의 집 가까이에 살던 나의 소학교, 중학교 동창생인 박석윤이 주선을 해줬다. 그녀는 여전히 밝은 표정과 미소로 나를 대해 주었다. 나에게 죄를 지었다고 사과를 하며, 그럴 수밖에 없었던 당시 상황과 일본까지 오게 된 긴긴 이야기를 고백하기도 했다. 6.25가 일어나자 사상 전과자를 모두 검거해 문답무용(問答無用)으로 학교 광장에 모아놓고 호명에 따라 나가면 배에 태워 저 멀리 수평선까지 가서 그들을 수장한 이야기, 처형의 집행 순서는 기록을 보면서 경중(輕重)을 따지며 순서를 정해 실행한 것 같았다는 이야기, 자신도 운동장에 끌려와 앉아 있었는데 자신을 눈여겨본 헌병이 데리고 나와 준 덕분에 그와 함께 일본으로 밀항하게 되었다는 이야기 등 처형 직전의 탈출 상황을 눈물을 흘리며 털어놓았다.

"그만 울어요. 이렇게 살아 있는 것만으로도 얼마나 기쁜데요."

그러자 그녀는 눈물은 닦으며 다시금 나에게 "미안하다."고 수차례 사죄를 했다.

"그런데 남편은 어떤 사람이에요?"

그녀는 아무런 이야기도 하지 않았다.

"애는요?"

"딸 둘이에요. 큰애는 피아노를 배우고 있어요."

그 시절 아이에게 피아노를 시킬 정도면 집은 꽤 괜찮게 살겠구나 하고 짐작할 수 있었다.

그러던 어느 날 아침, 깜짝 놀랄 뉴스를 들었다.

라디오에서 '어떤 모녀 3인이 동반자살을 시도했는데 아이 둘은 죽고 어머니만 혼수상태'라는 뉴스였다. 즉시 조간신문을 사와서 사회면 기사를 읽어보니 자살 미수자는 다름 아닌 그녀였다. 깜짝 놀라 친구인 덕주에게 그 이야기를 하여 그녀가 입원한 요코하마의 병원으로 가서 혼수상태인 그녀를 문병하고 돌아왔다. 너무 충격적이고 인생무상이었다.

불행해진 모습을 보니 그녀가 불쌍하고 마음에 구름이 낀 듯 매일 기분이 우울했다. 다행히 의식을 회복해서 퇴원했지만 그녀의 모습에서 그녀 특유의 재치와 매력은 온데간데없이 사라져 있었다. 그녀는 폐인이 되어 버렸던 것이다. 학교 통학 길에 자주 들렀던 시부야[渋谷]의 음악 커피 점에서 클래식 음반을 해설하며 PD로 근무하던 그녀의 아름다운 목소리도 비정상인 소리로 변해 있었다.

남편의 방탕(放蕩)한 생활에 절망한 20대 여인이 아이들과 동반 자살을 택했다는 내막을 알고 나니 나는 그녀가 불쌍해 종종 전화로 안부를 물어보곤 했다. 그러다가 바빠서 통화가 뜸해졌는데, 요 몇 년은 대학 입시를 준비하느라 아예 연락이 끊겨 있었다. 공부하느라 시간적으로나 정신적으로나 여유가 없을 때였다. 내 공부에 빠져 그녀에게서 관심이 멀어져 있었던 것도 사실이다.

지금 생각해 보면 아마도 나는 그녀에게 '슬픈 사랑[哀愛]'를 느끼고 있었던가 보다. 그녀가 늙으신 어머니와 둘이 살고 있다는 이야기를 듣고서 말이다. 어머니가 돌아가시고 장례식을 치르러 고향에 다녀갔다는 이야기도 들었다. 그녀는 제주 4.3사건의 알려지지 않은 희생자였다. 시대를 잘못 타고나 비애(悲哀)의 일생을 보낸 여인이라 생각하고 있었다.

대학원 시절, 나는 그녀의 소식을 듣고 그녀가 애처로워 그녀에게 전화를 했던 적이 있다. 병환으로 어머니의 여명이 얼마 남지 않았다는 소식을 듣고 고향에 다녀올 준비를 하고 있을 때였다.

"여보세요, 애정이니?"

"응, 봉진이."

전화를 받는 목소리는 예전 시부야[渋谷]에서 클래식 음반을 해설하며 PD로 근무하던 때의 목소리가 아니었다.

"그렇게 살지 말고 나와 같이 살자."

"안 돼요. 당신은 나에게 구름 위의 존재입니다, 나는 중학교도 못 나왔고, 몸도 제 몸 이 아닌데…."

이런 말로 거절하는 것이었다.

이 무렵 나는 어머니 문병 차 15년 만에 고향을 찾게 된다.

중학교 동창 덕주 군과 만나다

나는 덕주가 보고 싶어 수소문 끝에 그가 살고 있는 곳으로 찾아 갔다. 덕주는 중학교 시절의 학우였다. 하필 그가 외출 중이어서 만나진 못했지만 그가 거주하는 방이라고 가르쳐준 곳에 가보니 방이 아니라 그냥 마구간이었다. 사과 궤짝 하나를 놓고 거기서 공부하며 동경대학에 들어갔다는 이야기를 듣고 나는 큰 충격을 받았다.

덕주는 아버지가 사업에 실패하여 자살하는 바람에 혼자 이곳에 오게 되었다고 한다. 그 전에는 아버지랑 폐차된 버스에서 같이 살았다고 했다.

'이렇게 살아도 해낼 수가 있구나! 의지만 있으면 되는구나!'

나는 그저 놀라울 뿐이었다.

간신히 덕주와 연락이 닿아 우리는 만날 시간과 장소를 정했다. 덕주가 말한 약속장소는 처음 듣는 곳이라 나는 사전답사를 하러 미리 갔다. 동경대 캠퍼스 안에 있는 연못 '산시로이케[三四郎池]'가 약속장소였다.

난생 처음 보는 위엄 있는 건물들이 늘어선 캠퍼스의 중앙에 위치한 연못에는 하얀 기러기와 오리가 노닐고 있었다. 물 위를 헤엄치거나 날개를 터는 새들의 모습이 아름다워 보였다.

'미의식이 느껴지는 연못이구나.'

웅장한 건물 군(群)의 한가운데 이런 아름다운 연못이 있고, 이 연못을 중심으로 대학의 웅대한 학부 건물들과 도서관을 배치한 캠퍼스 설계에 다시 한 번 감동했다. 보이지 않은 교육의 이념(理念)을 읽을 수 있었다.

동경대학교는 원래 새로운 나라를 만들기 위한 일꾼을 키우려는 목적으로 세운 학교다. 창립의 원점에서 생각해 보면 연못이라는 테두리(땅, 토지)에서 자유롭게 살고 있는 오리(백성)들을 우리의 지식과 지성으로 보호하겠다는 뜻이 아닌가 싶었다. 그들이 평화롭게 살아갈 수 있는 나라의 건설을 우리 건아(健兒)들이 해내겠다는 의지를 진작하는 대학의 위상을 표현한 것이라는 생각이 들었다. 이 기상은 당시의 료가(寮歌)를 봐도 알 수 있다.

'나도 꼭 이 학교에 들어와야지!'

학교 캠퍼스를 구경하다 보니 덕주가 다니는 이 학교에 나도 꼭 들어오고 싶다는 바람과 포부(抱負)가 생겨 그렇게 다짐했다. 일본에 와서 처음 본 웅장한 대학교의 모습은 내 의지(意志)를 더욱 굳건하게 했다.

마음속으로 몇 번이고 다짐을 하는데, 약속시간에 맞춰 정확하게 덕주가 나타났다. 나에게 다가오는 덕주의 모습은 전쟁 중에 한국에서 보던 피난민의 모습과 다른 바 없었다. 머리에는 그 멋진 동경대 모자도 쓰지 않고, 책은 보자기에 대충 싸서 왼손에 들고, 학교 배지도 달지 않은 학생복에, 허름한 운동화를 신은 내 친구 덕주가 나를 향해 걸어왔다.

너무도 반가운 중학교 동창, 그런데 누가 봐도 가난한 대학생의 모습인 덕주를 맞닥뜨리니 마치 동경 거지와 한국 거지가 7년 만에 만나는구나 하는 느낌이 들었다.

기쁨의 눈물도 고갈돼 뜨거운 가슴으로 그를 품었다. 두 심장이 두근거리는 만남이었다.

학교 정보, 입시 정보, 해야 할 공부 등 덕주는 동경대학 입시에 필요한 여러 가지 소중한 정보를 내게 알려줬다.

"영어는 W. Somerset Maugham의 『Of HUMAN BANDAGE』를

읽어라. 그 소설에서 영어 문제가 나왔다. 수학은 미무라 마사오(三村征雄)의 『대학연습 미분적분학(微分積分學)』을 가지고 공부해라."

물론 나는 덕주가 알려준 책으로 입시 준비를 했다.

최종 합격자 면접에서 어떤 선생님이 "수학은 무슨 책으로 공부했느냐?"고 묻기에, "미무라 마사오 선생의 「미분적분학」으로 공부하였습니다." 하고 대답했는데 나중에 알고 보니 질문한 분이 바로 그 책의 저자였다.

덕주와 7년 만에 만나서 나눈 이야기는 학교 입시에 관한 내용이 대부분이었다. "수학은 이렇게 공부했고, 영어는 이렇게 공부했다."는 식의 덕주 이야기를 들으며 나는 마음속으로 다짐을 했다.

'그래, 참 잘 됐다. 덕주야, 나도 꼭 이 학교에 들어오마. 우리 이 학교에 같이 다니자.'

덕주는 그 후에도 종종 학교 기숙사로 나를 불러 시험공부 요령, 눈여겨볼 책 등 이런저런 충고와 좋은 정보를 많이 알려줬다. 덕주는 나에게 둘도 없는 친구이자 사우(師友)였다.

덕주는 훗날 물리학자로 대성해 노벨 물리학상 후보에까지 오른 내 친구다. 내가 동경대에 입학할 당시에 도와주던 옛날 생각이 나를 울린다. 눈물은 떠나버린 내 마누라를 그리워할 때만 나오는 줄 알았더니, 그게 아니라 옛 친구를 그리워하는 데도 내 눈물이 남아 있었다.

지금은 저 세상에 간 내 친구, 의순 씨와도 만났겠지! 그러고 보니 내가 좋아하는 친구는 모두 천당에 있네! 그렇구나, 천당에 가면 사랑하는 아내와 친구들이 있구나. '어째서, 왜?' 큰소리로 외치고 싶을까? 저 천당에도 나의 세계가 있다는 기쁨이 생겨서!

일본에 와서 처음 치르는 입시였다. 필수 제출서류인 외국인 등록증은 내 이름으로 된 게 없어서 남의 것을 냈다. 덕주의 충고를 듣고 입시 원서는 동경대와 와세다대 두 곳에 제출하였다. 당시 일본은 학교마다 입시일이 달라 여러 곳에 응시할 수 있었다.

동경대 입시일. 동경대 고사장에서 시험지와 답안지를 받았는데 손이 부들부들 떨려서 답안지에 글씨를 제대로 쓸 수가 없었다. 일본 최고의 대학이라고 생각하니 내 모든 기능이 정지된 듯 글을 제대로 쓸 수가 없었다. 결국 동경대 시험은 망치고 말았다. 그래도 와세다 입시는 그럭저럭 치렀다.

동경대 합격자 발표일. 나는 시험을 망쳤다고 생각했기 때문에 떨어졌을 것 같아 합격 여부에 관심을 갖지 않았는데, 덕주가 대신 가보겠다고 하여 수험번호를 알려줬다. 예상대로 동경대는 불합격. 그는 와세다대 합격자 발표장에도 나를 대신해서 갔다. 그리고 합격 소식을 나에게 전해주었다.

그러나 나는 와세다대 입학을 포기하고 내년에 동경대 입시에 다시 한 번 도전하고 싶었다. 덕주와 나는 재수에 대한 의견을 놓고 한참을 옥신각신했다. 와세다대 정도면 졸업 후에 어디나 취직이 되는 좋은 대학인데 왜 마다하느냐는 것이었다.

그런데 나는 와세다대가 어떠냐를 떠나 혼자 염려하는 바가 없지 않았다. 당시 내 이름이 아닌 남의 이름으로 서류와 원서를 제출했고 졸업을 해도 문제가 있을 것이라는 생각에 주저하고 있었던 것이다. 진짜 내 이름으로 된 외국인 등록증으로 입시를 다시 치르고 싶었다.

그러던 중 고향에 계신 아버지께서 와세다대 입학 등록금으로 쓰라며 일화 6만 엔을 환치기로 보내주셨다. 나는 이 돈을 찾기 위해 아버지가 보내주신 편지의 주소로 환치기 당사자를 찾아 고베[神戶]로 내려갔다. 그의 아들을 만나 수표 한 장을 받았는데, 그 수표는 은행에 입금시키면 다음날 받을 수 있는 수표였다.

오사카 누님 집에서 하룻밤 자고 다음날 서둘러 은행에 돈을 찾으러 갔는데, 은행에서는 뜻밖에도 부도수표라서 지급할 수가 없다고 이야기했다. 나는 그 길로 다시 고배로 갔다. 퇴근 시간에 맞춰 다시 그 집에 갔더니 당사자는 아직 퇴근하기 전이고 그의 일본인 부인이 내 사정을 듣고선 안타까워하며 남편이 올 때까지 기다리라고 했다. 한밤중이 되어서야 나타난 집 주인은 술에 취해 집에 들어오더니 자기 아내에게 호통을 쳤다.

"아니 왜 저 학생을 집에 들이고 나를 기다리게 했어?"

정말 어이가 없었다. 그래도 그의 아내는 나를 달래며 방을 마련해 주고 내일 아침에 돌아가라고 했다. 날이 새기가 무섭게 나는 그 집을 나왔다. 역으로 걸어가는데 갑자기 크고 무거운 무엇인가가 내 눈앞을 스치듯 가로막았다. 깜짝 놀라 고개를 들어보니 전철이 내 눈앞을 쏜살같이 지나갔다. 교차점의 경고등은 빨간 빛을 내며 요란한 경고음을 내고 있었다.

만일 내가 낯선 곳에서 전철에 치어 죽었다면 지방의 아침 방송이나 지방신문의 사회면에는 어떤 기사가 실렸을까?

'이른 아침 젊은 남성이 실연(失戀)의 슬픔을 이기지 못해 전철 자살을 하다.' 이렇게 보도가 되었을까? 아니면, 경기가 안 좋았던 당시라 동경의 우에노[上野] 공원에 가면 굶주린 전쟁미망인들이 곱빼빵(학도구용 빵 모양의 빵 당시 10엔) 하나면 모르는 남자에게도 자기 몸을 주던 시절이었으므로 '생활고에 절망한 젊은이가 철로로 뛰어들다.'라는 기사가 났을지도 모른다. 그런 생각을 하니 사못 가슴이 떨렸다. '나는 아직 해야 할 일이 남아 있는데…….' 하며 역 벤치에 앉아 하염없이 눈물을 흘렸던 기억이 난다.

덕주의 주선으로 나는 중학교 선배 임재학 씨를 만나 방을 같이 쓰기로 했다. 일단 그렇게 동경 정착은 마무리했다. 다다미 2장, 두 사람이 잠을 자려고 누우면 공간이 빈틈없이 채워지는 아주 효율적인 방이었다. 임재학 씨의 방에서 나는 입시 때까지 1년을 신세졌다.

아침 4~5시면 일어나 영어, 수학 공부를 했다. 영어는 읽을 책을 정해놓고 가능한 한 일본어 번역판을 같이 사서 하루 몇 페이지씩 범위를 정해놓고 공부했다. 수학은 동경대 입시 문제집을 사서 하루에 몇 문제씩 꼬박꼬박 풀었다.

단번에 푼 문제는 넘어가고 못 푼 문제는 참고서를 인용해 풀어보고 한 번 시도로 풀린 문제, 두 번 시도해서 푼 문제를 구분했다. 그래도 내 실력으로 풀기 어려운 문제는 2중 3중으로 표시를 해 두었다가 집중적으로 참고서를 보면서 풀었다.

이런 식으로 공부를 하면 언제나 조기에 목표를 달성할 수 있었다. 계획대로 아침 공부가 끝나면, 아침 식사를 거르고 공부할 책을 가지고 도서관에 가서 12시쯤 아침 겸 점심을 먹었다. 저녁은 라멘과 밥 한 공기 45엔, 목욕비 10엔. 이렇게 하루 생활비 100엔으로 겨우겨우 지낼 수 있었다.

5월에는 동경대에서 축제가 열린다. 덕주가 학교 페스티발(festival)을 구경하러 오라고 하여 호기심도 해소할 겸 나는 동경대 5월제(祭)를 구경하러 갔다. 점심시간이 되자 덕주가 나에게 점심을 사주었다. 소식으로 늘 규칙적인 식생활을 하던 위(胃)에 갑자기 음식물이 많이 들어가니 놀랐는지 그만 배탈이 났다. 며칠을 멈추지 않는 설사에 고생깨나 했다.

입시 준비생의 생활비 조달

나처럼 생활비와 용돈을 벌고자 다양한 일을 해본 사람도 드물 성싶다. 처음 오사카[大阪]에 왔을 때 장난감 만드는 중소기업에서 일한 적이 있다. 장난감을 조립할 때 못을 박아 고정 시키는 일이었 는데 잘못해서 그만 내 손가락을 망치로 쳐서 그 흉터가 아직도 남 아 있다. 돈을 벌어보겠다고 나갔던 동생이 첫날부터 손을 다쳐서 들어오자 상처를 치료하면서 울던 누님 생각이 난다.

다음날은 누님이 아르바이트를 나가지 못하게 해서 그 일은 그만 두고 누님이 하는 일을 도왔다. 옷 만들고 남은 자투리 천을 모아 정 리하고 재활용할 수 있는 것만 골라서 이걸 취급 하는 집에 갖다 주 는 일이었다. 나는 자전거로 물건 나르는 일을 도왔다. 비 오는 날 자전거로 배달 심부름을 가다가 누가 자전거 뒤를 받는 바람에 아 스팔트길에서 미끄러졌는데, 일어나면서 뒤를 받은 사람의 얼굴을 주먹으로 친 일도 있었다. 미안하다고 사과하는 사람을.

돌이켜보면 내가 참았어야 했다는 생각이 든다. 그 사람도 빗길 에 실수를 한 것뿐인데……

동경에서는 영어 편지를 써주고 읽어주는 일로 용돈을 벌었다. 시험공부를 하면서 틈틈이 할 수 있는 아르바이트였다.

당시는 6.25 전쟁 중이라 일본에는 미군의 현지처(現地妻)가 많 았다. 휴가 나온 미군과의 하룻밤 잠자리로 맺어진 인연. 그들이 편지를 갖고 오면 읽어주고 답장을 써주는 일을 했다. 그래서 영어로 연애편지를 쓰는 건 익숙한데, 나 자신의 연문(戀文)을 영어로 쓴 편지는 아내 외에 없다.

편지를 읽어주면 눈물을 흘리는 미군의 현지처 여성들, 절절히 못다 한 사랑 고백을 부르는 대로 써줘야 했던 경험은 인간이 누군가를 사랑하고 정이 든다는 것이 얼마나 인간적인가를 생각하게 하는 소중한 경험이었다. 정해진 사례는 없고 그냥 주는 대로 받았으며, 안 주면 그만이라고 생각하면서 아르바이트를 했다. 오히려 애애(哀愛)하는 여성의 심리를 이해하는 인생 공부를 한 셈이었다.

가끔 큰누님이 건네주신 차용증서를 들고 채무자를 찾아가서 돈을 받아내기도 했다. 한 번은 채무자를 찾아갔더니 당사자인 부모는 집에 없고 대학 입시생 아들만 있었다. 기다리면 부모님이 돌아오실 거라고 해서 응접실에서 기다리고 있었는데, 그 학생이 수학 문제를 푸느라 애쓰는 모습이 보였다. 슬쩍 보니까 입시 문제였다.

"이 문제, 내가 좀 풀어 줄까요?"

"풀 수 있으세요?"

"한 번 해볼게요. 시간도 보내고요."

그러면서 학생이 씨름하던 문제를 다 풀어줬다. 그러자 너무 좋아하면서 고마워했다. 그런데 기다리던 나는 너무 배가 고파서 염치불구하고 밥을 좀 달라고 요청했다.

"혹시 밥 한 끼만 먹을 수 있을까요?"

"우리 집엔 지금 누룽지밖에 없는데요."

"그거라도 괜찮으니까 조금만 줄래요?"

이렇게 부탁해서 채무자의 아들로부터 밥을 얻어먹은 일도 있었다. 나중에 그 사실을 알게 된 채무자는 나를 아들의 입시 가정교사로 쓰고 싶다고 했다. 채무자는 나를 불러 같이 지내면서 공부를 가르쳐 달라며 방도 구해주시고 매달 용돈도 주셨다.

아마도 나는 아직 대학생이 아니었기 때문에 누님 덕택인지, 아니면 가정교사의 대가인지 몰라도 큰누님의 빚을 이와 같은 방법으로 받았던 것 같다.

오사카 지방법원에 가다

해가 바뀌고 대입고사가 목전인데도 외국인 등록증 발급은 감감무소식이었다. 하는 수 없이 나는 직접 오사카 지방법원으로 찾아갔다. 재판소에 들어가 수소문 끝에 담당판사 이름을 알아내고 그의 집무실로 노크를 하고 들어갔다.

그는 나를 힐끔 쳐다보더니 물었다.

"무슨 일로 오셨어요?"

"네, 작년 니시나리 서(署)에서 자수하고 외국인 등록증 발급 신청을 했는데 처리가 늦어지는 바람에 애가 타서 담당 판사님을 찾아 왔습니다. 입시 원서에 외국인 등록증이 꼭 필요한데 그게 없어서 지원서를 내지 못하고 있습니다. 혹시라도 원서 제출 시한 안에 안 나오면 제가 내년 입시까지 또 1년을 기다려야 합니다. 발급을 부탁드리겠습니다."

그렇게 말하자 그는 나를 쳐다보며 "이름이 뭐에요?" 하고 책상 위에 수북이 쌓여 있는 서류를 들추면서 묻더니, "아! 서류 여기 있네요. 여기까지 찾아올 정도니, 설마 밀항한 건 아니겠죠?" 하면서

"점심 먹고 오후에 찾으러 다시 오세요." 하는 것이었다.

나는 법원 주변에서 점심을 먹고 시간을 보내다 시간에 맞춰 판사실로 들어갔다. 판사는 외국인증 발급증명서와 식량배급허가서 등 2통의 서류를 주면서 "원하는 학교에 꼭 들어가고 공부 열심히 하세요."라는 격려의 말까지 했다.

일본의 고관으로부터 이런 이야기를 들은 것은 처음이었다. 나는 곧바로 동경으로 올라가 고등학교 담임 선생님께 졸업장의 명의를 내 진짜 이름으로 바꿔달라고 부탁했다.

"이 군, 이름이 왜 이렇게 많아요? 도대체 어느 게 진짜 이름입니까?"

담임 선생님은 웃으시며 이렇게 묻고는 졸업증명서를 정정(訂正) 발급해주셨다. 그걸 들고 동경대 입시원서를 시일 안에 제출할 수 있었다. 정말 아슬아슬했던 과정이었다. 그야말로 운 좋게도 하나님의 도우심으로 죽을 뻔한 사고까지 막아 주셨다는 생각이 든다.

동경대학 입시

시험 보는 날, 덕주로부터 격려 전화가 걸려왔다.

나는 신주쿠역에서 간단히 아침을 사먹고 시부야역으로 가서 이노가시라 선으로 갈아탔다. 고마바 동경대 앞 역에서 내려 입시 장소로 들어갔다.

수학은 시험지를 보는 순간 풀 수 있겠다는 느낌이 들어 마음이 평온해졌다. 수학을 다 풀고, 다음 영어 시험지를 받아 대충 훑어봤다. 눈에 걸리는 어려운 단어가 없으니 괜찮을 것 같다. 이것도 만족스럽게 답안지를 쓴 것 같았다. 다음 국어[日語] 과목은 썩 잘 보지는 못했지만 합격점은 받을 수 있겠다 싶었다. 국어는 자신이 없어 현대어를 택했는데 현대국어 시험 내용은 현대소설 한 대목을 히라가나, 가타가나로 써놓고 한자로 다시 고쳐 쓰는 것이었다.

나머지 이과 과목도 그럭저럭 잘 본 것 같았다. 국어 답안지에 쓴 한자 중에 아리송한 게 있어서 시험장을 나오며 공중전화로 바로 덕주에게 전화를 걸었다. 내가 쓴 한자가 정답이 맞는지 물었더니 덕주는 "맞다."고 했다. 그 말에 나는 안도했다.

"이번 시험은 괜찮게 본 것 같아."

나는 덕주에게 이렇게 소감을 말해줬다.

합격자 발표를 하는 날, 나는 작년과 달리 나 혼자 발표장에 갔다.

두근거리는 심장을 안고 찾아보니 내 이름이 보였다. 순간 머리가 멍해졌다. 정신을 차리고 보니 발걸음은 저절로 이노가시라 선 동경대 앞 역 쪽을 향하고 있었다. 혹시 내가 이름을 잘못 본 게 아닐까, 의심과 불안감이 들어 빠른 걸음으로 다시 발표장으로 돌아가서 명단을 다시 한 번 살펴보았다. 합격자 명단에 분명하게 적혀 있는 '李奉珍'이라는 내 이름을 다시 확인하자 환상적인 불안에 넋을 잃고 온 몸에 힘이 쑥 빠지는 기분이 들었다. 나는 시부야[渋谷] 역(驛) 쪽으로 걸어가며 울고 있었다.

일본에서 제일 들어가기 어려운 대학에 합격했는데,
누구 한 사람 나를 축하해 주는 이가 없네.
하염없이 흐르는 눈물은 가까운 동대 앞 역을 피해
조금 더 먼 역(驛)으로 나를 인도하네.

슬퍼서인가? 아니 기뻐서인가?

방향을 잃고 먼 길을 돌아 눈물을 말리고 가라는 것인지,

걷다 보니 눈물이 말라 저 멀리 시부야역이 보인다.

눈물 맑은 내 영혼은 나에게 희망을 주는구나.

울지 말고 기뻐하라고!

어머니, 누님, 저 해냈습니다!

시부야역에서 누님에게 빨리 전화를 걸라고.

요금 걱정 말고 장거리 전화를 하라고!

'저 합격했어요.' 하고, 큰소리로 누님에게 알리라고!

나는 울면서 누님에게 전화를 걸었다.

"누님, 저 합격했어요!"

며칠 후 합격통지서와 함께 입학수속 안내문이 왔다.

월사금 월 700원, 입학금 1,000원, 학생 공조조합비 500원, 동경대신문 구독비 반년 600원으로 계 6,300원을 기일 내에 납부하라는 통지서였다. 나는 이 돈을 조달하기 위해 오사카 누님에게로 갔다. 누님은 장남 인호(仁浩) 군의 생명보험을 해약하고 나에게 7,000원을 주시며 등록을 하라고 했다.

동경에 돌아온 나는 김 군의 부모님 부탁으로 대학 입시 날까지 1년 가까이 김 군의 가정교사로 같이 살게 되었다.

동경 신주쿠[新宿]의 니시구치[西口]에서 가깝고 근처에 일본에서 가장 큰 문화양재전문학교가 있었다.

나는 매일 아침 여기서 500m쯤 떨어진 김 군 집에서 아침을 먹고 학교로 갔는데, 매일 김 군을 가르친 다음 나머지 시간에 제2 외국어인 독어 예습을 하느라 밤을 새우다시피 하고 있어 거의 아침

밥은 빼먹고 학교로 달려가야 하는 신세였다.

학교 수업은 오전 8시에 시작해서 12시면 2과목이 끝났다. 점심시간 한 시간을 빼면 오후는 실험, 실습, 연습, 세미나 등이 있다. 실험, 실습, 연습 말고는 선택과목이라 자유로웠다. 저녁시간에는 김 군 외에 또 다른 댁에서도 가정교사를 하고 집으로 돌아와 김 군을 붙들고 공부를 시킨 후에 밤늦게 내 공부를 시작했다.

새벽잠을 이기고 학교에 갈 때면 항상 학교에 등교하는 문화양재전문학교 학생들과 마주쳐 나는 죄지은 사람마냥 고개를 숙인 채 땅만 내려다보며 역으로 걸어가곤 했다. 마치 향기만 맡으며 꽃밭을 뚫고 가듯 하는 등굣길이었다.

대학에 들어가니 학교 게시판에는 늘 가정교사 구인광고가 있어서 가정교사 자리를 얻기는 쉬웠다. 용돈을 더 벌고 싶어 학교 소개서를 들고 일본인 가정으로 찾아갔는데, 그들은 추천서에 적힌 내 한국 국적과 이름만 보고 그 자리에서 거절했다.

하는 수 없이 담당교수에게 이 사실을 의논했더니 학생과장인 교수는 "이군 혹시 일본 이름은 없나?" 하고 물었다. 있다고 하자 그는 자존심 상해하지 말고 일본 이름으로 추천서를 써줄 테니 그걸 갖고 가보라고 충고했다.

그 이후 추천서를 갖고 일본인인 척하며 일본인 가정에서 가정교사를 했다. 처음으로 맡은 학생은 스튜어디스를 지망하는 여학생이었다. 영어를 가르쳤는데 이 학생과는 Dostoevskii 의 백야(白夜)를 교재로 택해 같이 읽는 수업을 했다. 다른 여학생은 입시 공부하는 여학생이었으므로 그가 원하는 학교 영·수 교재를 갖고 원하는 것을 가르쳐 주었다. 또 다른 두 교포학생도 주로 교과를 중심으로 복

습하는 식의 과외를 했다.

나는 네 명의 학생을 상대로 개인 과외를 했는데, 학교가 끝나면 서둘러 과외를 하러 가는 게 일상이었다. 다만 교포 학생의 경우 공부가 끝나면 저녁식사를 하고 가라는 권유를 받아 그 집에서 저녁을 해결하곤 했다. 그러나 일본인 가정에선 저녁을 같이 먹자고 한 경우는 없었고 외식을 권하는 학부모는 있어서 같이 외식을 한 적은 있었다. 이런 것을 보면 분명 우리 민족은 정말로 정이 많은 따뜻한 민족인 듯싶었다.

동경대학에 들어가니 장학금을 주겠다는 독지가도 생기고 주일 한국대사관의 장학금도 받게 되었다. 이를 챙겨 일부는 고향에 있는 어머니와 동생에게 보내곤 했다.

대학 재학 시절에는 매일같이 이런 생활을 했다.

어떻게 공부를 마치고 졸업을 할 수 있었나 의심이 갈 정도로 하고 싶은 공부를 제대로 하지 못한 게 사실이다.

졸업식이 끝나고 학과 교실에서 졸업장을 받고 나오는데 덕주가 기다리고 있었다. 졸업을 축하해 준다며 고풍(古風)스럽고 조용한 일식 전통 음식점에서 식사를 사주는데 그 친구를 안고 울음을 터뜨리고 말았다. 하고 싶었던 공부를 마음껏 하지 못했다는 후회와 더불어 어떻게 해서 졸업까지 할 수 있었던가를 생각하니 그간의 고생이 떠올라 울음이 터졌던 것이다. 지금 생각해도 덕주는 잊을 수 없는 친구다.

신입생 시대

동경대학에 첫 등교를 하던 때가 생각난다.

중학 동창 중에 공부하러 일본으로 밀항해 왔으나 초지(初志)를 단념한 '하필수'라는 친구가 있다. 그 친구는 대학에 들어가면 입으라고 친척이 만들어준 학생복 상의(上衣)를 갖고 와서 자기 몫까지 공부해 달라고 하며 내게 입학 축하 선물로 건네줬다. 나는 학부 생활을 마칠 때까지 그 옷 한 벌로 버텼다. 학창시절 사진을 보면 상의는 친구가 준 옷, 하의는 녹색 바지를 입고 있는 내 모습을 볼 수 있다.

급우들이 모두 교실로 들어오자 누가 주도했는지 각자 학교에 들어오게 된 경로(출신고, 입시 시도회수-즉 현역, 재수, 삼수 등)와 자신의 인생관, 배우자에 대한 생각을 적어 입학 기념 소책자를 만들자는 제안이 나왔다. 다들 그 제안에 찬성해 메모지에 입학 경로와 인생관, 배우자관을 적어서 냈다. 그때 내가 적은 배우자관은 '이지적(理智的)인 여성이고, 미인(美人)이면 더 좋겠다.'였다.

나는 아직 그때 만든 소책자를 갖고 있다. 먼저 떠나간 나의 아내 의순 씨가 내 이상형에 '딱!'이라는 믿음은 아직도 불변이다.

조금 후 신입생 교실에 담임교수가 들어왔다. 의과대학 교수였다. 그의 첫 마디는 "여기서 술 마실 줄 아는 사람 있나?"였다.

아무도 손을 들지 않았다.

"술을 마셔본 사람은?"

역시 아무도 손드는 사람이 없다.

"담배 피워본 사람?"

역시 아무도 없었다.

그러자 교수가 말했다.

"너희는 술도 담배도 멀리하고 해낸 게 고작 동경대 입학이냐?"

그러더니 이런 충고를 했다.

"술도 담배도 경험은 해보고 나서 자기 생각이 있어야 하는데, 처음부터 술이랑 담배는 나쁘다, 해선 안 된다고 정해놓는 건 생각해볼 일이다. 모든 것에는 자신의 소신과 논리가 있어야 한다."

이런 말을 남기고 잠시 우리와 시간을 보낸 후 교실에서 나갔다. 그날 이후 그 담임교수와 재회하는 일은 없었다. 어쨌거나 나는 그분의 이야기가 매우 함축적인 교훈이라고 생각했다.

학급 배정은 제2외국어 레벨에 따라서 정해졌다. 외국어 초급, 중급, 상급 레벨로 나누어져 있었다. 나는 독일어 초급반을 선택했다. 들어간 클래스에는 처음부터 독어 문법으로 시작하는 교수, 쉬운 독어를 읽어가는 교수 두 분, 총 세 명의 교수가 번갈아가며 수업을 했다. 나는 독일어 공부로 일주일 내내 밤을 새워야 했다. 1학기에 처음 문법을 시작해서 여름 방학 전에 끝내고 방학기간에 읽을 거리를 숙제로 내준 교수님도 계셨다.

그렇게 내준 숙제는 소년(少年) 시기의 아름다웠던 추억을 쓴 『청춘은 아름다워 : Jugendgedenken』라는 Hermann Hesse의 작품이었다. 다른 두 분은 독일어로 쓴 시, 또 다른 한 분은 독일어 소설을 읽는 식으로 세 분 교수님의 수업 내용이 모두 달랐다.

『Einfüng in die deutche Grammatick』(三浦靱郎 著)

『Gespräche mit Goethe』(Erkermann)

『Der Zug war Pünktlich』(Heinrich Böll)

Heinrich Böll의 소설은 1985년 노벨문학상을 받은 작품이다.

동경대 1년 반 만에 읽은 독어 책은 교재 이외에 20권이다. Tomass Mann의 『토니오 크뢰거』도 교양학부 시절의 독어 교재다. (나는 이때 읽고서 감명받은 Tomass Mann의 『토니오 크뢰거』를 후일 아내에게 읽어보라고 권했다.)

독어 수업 방식은 매우 독특했다. 교수님이 아무나 지정해서 그 사람의 뒤 또는 앞, 옆 할 것 없이 Random으로 읽게 했다. 전날 예습을 하지 않고 수업에 들어가면 혹시 자기 순번이 올까 봐 수업시간 내내 마음을 졸이게 되고 번역 순번이 돌아왔는데 읽지 못해 창피를 당하면 자존심이 상하니까 무조건 예습해야 하는 공부가 늘 제2외국어였다. 덕택에 사전 하나만 있으면 독어는 읽을 수 있게 되었고 독일의 사회, 문학서적을 접할 기회가 비교적 많았다.

영어는 두 명의 교수가 담당했는데 한 분은 소설, 다른 한 분은 영화 시나리오를 읽혔다. 시험은 독어의 독해력을 평가하듯, 영어는 주로 번역 능력을 평가했다. 시험장에 영어사전을 갖고 오게 해서 칠판에 시 또는 글을 적어놓은 다음 일어-영어로 번역하는 문제를 내고 교수는 교실을 떠난다. 번역 내용을 보는 것 같고, 영어를 어떻게 아름답게 쓰느냐를 중점으로 보는 것도 같았다.

첫 아르바이트, 여름 해변의 빙수 심부름꾼

대학교 여름방학은 꽤 길었다. 거의 두 달 동안 이어지는 여름방학이 끝나면 바로 학기말 중간시험을 치러야 했다. 방학에 들어가기 전에 대학신문에는 방학 중 읽을거리를 추천해주는데 숙제가 많아서 우선 그걸 끝내고 나서 읽을거리를 찾는다든지 아르바이트를 하게 된다.

어느 날 동경에 사는 사촌형의 둘째아들 동섭이가 나를 찾아와 이번 여름에 유이가하마(由比ヶ浜) 해수욕장에서 장사를 하는데 아르바이트를 하지 않겠냐고 제안을 했다. 아르바이트 급여를 많이 주겠다는 말을 믿고서 다니던 가정교사 아르바이트는 방학을 핑계로 잠시 쉬기로 했다. 계절장사로 한 몫 벌어보자는 생각에 유이가하마로 향했다. 유이가하마(由比ヶ浜) 해수욕장은 동경 남쪽의 유명한 해변이다.

읽을거리로는 노벨문학상 수상자 Somerset Maugham의 대표작 『The Painted Veil』을 들고 갔다. 아무 것도 모르는 어리석은 여성이 여러 인생의 고락을 경험하면서 인격(人格)을 깊이 쌓아가는 이야기다. 영화에서 한 번 본, Steinbeck이 미국의 기계문명과 계절노동자의 비극을 쓴 소설의 원본 『Of Mice and Men』도 내가 하게 될 계절노동과 비교해 보려는 생각으로 챙겼다. 이 두 권을 책을 갖고 해변으로 떠난 것이다. 평론가의 평을 원문으로 읽고 싶어 Penguin Book으로 가져갔다.

아르바이트 내용은 해수욕장에 놀러온 사람들을 상대로 빙수를 만들어 파는 장사였다. 처음에는 제법 손님이 몰려들어 장사는 성공적일 것 같았다. 나는 시키는 대로 주문받고 빙수를 갖다 주고 빈 그릇을 치우는 일을 했다. 일은 단순하지만 나름 멋도 내고 해변에서 휴가를 즐기는 예쁜 아가씨를 구경하는 게 좋았다. 방에 콕 박혀 공부하는 일상에서 벗어나 아름다운 여성들을 보니 즐거웠다.

이때부터 나는 사람의 성향에 따라 다르게 나오는 행동에 관심이 있어 훗날을 위해 노트에 감상을 기록하는 버릇이 생겼다. 나중에 쓸 수필자료로 사용할 생각에서 말이다.

그러나 이런 즐거웠던 시간도 잠시, 이상 저기온과 예년보다 빨리 들이닥친 태풍으로 해변에 지은 가게들이 산산이 부서졌다. 장사는커녕 해수욕장마저 조기 폐장을 했다. 가게를 정리하고 이익을 나누다가 동업자 간에 칼부림하고 싸우는 모습을 지켜보며 나는 한 달 일한 급여도 포기하고 동경으로 돌아가기로 했다.

집으로 오는 길에 나는 오오모리역(大森駅)에서 내려 역 앞에 있는 책방에 들렀다. 그곳에서 Romain Rolland 의 『Vie De Beethoven(베토벤의 생애)』를 샀다.

그날 밤 그 책을 읽으며 나는 큰 감동을 받았다. 아래에 적은 글은 먼저 가버린 나의 아내와 데이트를 할 때 『Vie De Beethoven(베토벤의 생애)』를 화제로 삼은 내용이다.

"의순 씨에게 내가 감동을 받은 이야기를 해드리고 싶어요." 하고 나는 책 읽은 이야기를 시작했다.

"농병(聾病)이 악화돼 필담(筆談)으로 겨우 의사소통을 해야 했던 Beethoven은 1815년 Schindler가 쓴 이야기를 작곡한 가극 『Fidelio』의 상연에 앞서 직접 지휘하여 총괄 시연(試演)하기를 원해 지휘봉을 들게 됩니다. 최초의 이중창(二重唱)에서, 가수들의 소리가 전혀 들리지 않으니 그는 지휘 템포(tempo)를 너무 늦췄죠. 오케스트라는 그의 지휘에 따라서 느리게 연주를 했는데, 가수들은 반주랑 상관없이 앞으로 나갔습니다. 무대 전체가 혼란에 빠졌어요. 시연(試演)은 일시 중단되고 다시 시도해 봤지만 두 번째도 마찬가지였어요. 자신이 직접 지휘하는 게 무리임을 알게 된 Beethoven은 비애(悲哀)와 낙담(落膽)에 빠져 집으로 돌아갔고, 다음날 친구(manager)에게 비엔나에서 제일 평판이 좋은 이비인후과 의사에게 자신을 데려다 달라고 부탁합니다."

나는 잠시 숨을 돌리고 그녀를 보며 이야기를 계속했다.

"이 대목에서 감동을 받았습니다. 천부적인 재능을 지닌 천재가 자기 생명이 계속되는 한 목숨을 다해, 자신의 할 일을 다하려는 의지와 믿음에 감동했어요. 이것을 계기로 저도 제 사명이 공부라고 생각하여 베토벤처럼 목숨을 다하고 최선을 다해야겠다는 다짐을 하고 노력하고 있습니다. 주변의 친구가 결혼할 때나 축하할 일이 생길 때마다 저는 이 책을 선물로 주곤 합니다."

어느 날이었다. 아내와 늘 함께 하던 새벽 탄천 산책을 마치고 집에 들어오는데 우체통에 웬 국제우편물이 들어 있었다. 열어 보니 일본에 살고 있는 친구로부터 온 편지였다. 그 편지에는 '내가 죽으면 내 관속에 『Vie De Beethoven』을 넣어 달라.'는 유언이 적혀 있었다. 학생 시절 그의 결혼식 때 선물로 주었던 책을 천당 가는 길에서도 읽겠다는 소리인지…. 그날 아침 나는 서재에서 눈물을 흘리다가 항공 표를 예약하고 친구를 만나러 일본에 다녀왔다.

"Beethoven은 그 사건으로부터 2년 후, 1824년 5월 7일 『제9 교향곡』, 즉 『합창을 동반한 교향곡』을 지휘했습니다. 그때(프로그램에는 『연주의 방침에 참여(參與)하였다』라고 나온다.) 그는 회장 전체에 울려 퍼지는 우레와 같은 환호성 소리와 그에게 보내오는 갈채(喝采)를 듣지 못했어요.

합창단의 한 여성이 그의 손을 잡아 관중 앞에 그를 세우고 나서야 그는 그를 향해 환호하는 관중들의 모습을 볼 수가 있었죠. 베토벤은 그제야 모자를 벗어 인사를 했고 박수치며 자리에서 일어난 관중들은 Beethoven의 모습이 안타까워 눈물을 흘렸습니다. 베토벤은 그런 팬들의 모습을 눈앞에서 보게 된 것이죠.

제9 교향곡이 미친 듯 광기를 일으켜 많은 관중을 울렸습니다. 이를 본 Beethoven은 감동에 벅차 기절을 하고 말죠. 그때 이후 그는 자기 내부에 갇혀 살게 되고, 누구 한 사람 찾아오지 않은 그에게 자연만이 유일한 친구가 됩니다.

베토벤의 유일한 친구이자 매니저는 이렇게 말했답니다.

'제9교향곡에서 환희(歡喜)의 주제가 처음으로 나타나려는 순간 orchestra는 돌연 연주를 중지하고 갑자기 침묵이 찾아옵니다. 환희의 노래가 등장하자, 이 침묵이 이상하게도 신성함을 줍니다. 실제로 이 주제가는 하나의 신(神)이라고도 할 수 있는 것이죠. 초자연적인 침묵이 주변으로 번져 가고 하늘에서 환희가 내려옵니다. 그 가뿐한 미풍의 숨소리로 환희는 고민을 애무(愛撫)합니다. 고민에서 힘을 회복해 일어서는 마음속에 환희가 숨어들어갈 때 그것이 주는 제일의 감명(感銘)은 정애(情愛)의 깊음입니다. 그 아름다운 그의 눈을 쳐다보면 눈물이 나와요.'

이 친구의 말은 내 마음도 요동치게 했습니다. 나도 이런 직업관을 가져야 하겠다는 각오를 다지는 데 충분한 것이었습니다.

베토벤, 그는 사람들의 범용(凡庸)성을 정복한 승리자였습니다. 자기 자신의 운명과 비애(悲哀)를 이겨낸 승리한 인물이었습니다. Beethoven이 자신의 임종이 임박했을 때 남긴 한 마디는, 'O Gott über alles[생활의 우열(愚劣)은 항상 나의 예술을 위한 희생이었다. 신(神)만이 만사에 우수한 자이니라!].'이었습니다.

Beethoven처럼 자기 직업에 모든 혼을 바친 사람이 역사상에 또 있었을까요? 그는 늑막염으로 1827년 1월 3일 영면(永眠)하였습니다."

Schiller의 시(詩)『An die Freude(歡喜에의 頌歌)』원문

Freude, Schöner Götterfunken, Tochter aus Elysium, Wir betreten feuertrunken, Himmlische, dein Heiligtum. Deine Zauber binden wieder, Was der Mode Schwert geteilt; Bettler werde Fürstenbrüder, Wo dein sanfter Flügel weilt. Seid umschlungen Millionen! Diesen Kuß der ganzen Welt! Brüder - überm Sternenzelt Muß ein lieber Vater wohnen.

『An die Freude(歡喜에의 頌歌)』이봉진 역(譯)

기뻐하라, 아름다운 신(神)들의 불꽃 극락의 여인이여
우리들의 감격의 불에 취해 두려워하면 당신의 성전에 들러 간다.
세월의 흐름에 엄히 단절된 것이 단산의 마력으로 다시 맺어진다.
당신의 사랑 수렵은 은혜의 날개에 모든 이가 동포가 된다.
껴안아요! 백만의 사람들이여, 이 키스를 온 세계에
동포여 별이 뜬 하늘 위로 사랑하는 아버지가 있는 곳으로.

가정교사 일화와 한일 문화차이

한국에서는 가정교사를 해본 경험이 없지만 일본에서는 가정교사를 여러 개 맡아서 생활비를 충당하고 있었다. 가정교사를 다니다보니 거기에도 문화 차이가 있어 이야기하고 싶다. 한일 문화 이야기는 조금 조심스럽지만 나를 이해하는 데 도움이 될까 싶어서

말하려고 한다.

일본에서 가정교사를 필요로 하는 가정은 대개 중산층 이상이다. 그런데 재일교포의 경우는 좀 달라서 부모 세대는 공부를 못 했으니 자식만큼은 공부를 시켜야겠다는 경우가 많았다. 이것은 교포나 한국인이나 똑같아서 이런 면을 보면 한민족이라는 생각이 들었다.

다만 과외 선생님에 대한 생각이 일본과는 달랐다. 교포 댁에 가면 자기 형편대로 선생님의 스케줄을 변경할 수 있다는 가부장적인 사고를 하는 분들이 있었다. 조선시대 계급의식의 잔재(殘滓)인가 하는 생각을 하게 되었다.

우리 민족은 조금이라도 상대방보다 우위에 있다고 생각하면 제멋대로 약속을 어기는 일쯤은 신경을 안 쓰는 문화가 있다는 것을 알았다. 교포 가정과 일본인 가정에서 가정교사를 해보면서 경험하고 느끼는 점을 비교해보면 그렇다는 것이다.

이런 경향은 오늘날 배운 사람은 이성으로 옳고 그름을 판단하여 자제하는 경향이 있는 데 비해, 배우지 못한 사람은 이성적인 판단이 약하다는 것을 느끼게 해준다.

현대는 지성 지향의 시대인데 초등교육이 약한 우리나라는 장래가 우려스럽다. 그런데 일본 가정은 전혀 다르다. 정해진 시간에 방문을 하고 현관에 들어서면 어머니가 현관에 무릎을 꿇고 앉아서 "선생님 어서 오십시오." 하고 공손히 인사를 하고 일어나서 학생 방으로 안내를 해준다. 일본은 우리 문화와 달리 당사자의 현재를 중요시한다. 그에 비해 우리나라는 현시점보다 주변의 평가와 집안을 확인하는 데 문화의 차이가 있음을 느끼게 한다.

과외를 하면서도 양국 문화의 차이를 이해하게 되었다. 나는 일본에 오래 살아서인지 현재의 위치를 중요시하는 편이라 할 수 있다. 그래서 일본에서는 조국 같은 사람의 출현은 상상도 할 수 없다. 그와 같은 해에 탄생한 나의 장남은 세계 일류회사 중역인데도 일반인과 똑같이 지내 다니던 회사의 문화를 진화시킬 정도로 모범적이다. 그래서 한국의 문화도 글로벌 기준으로 진화해야 한다는 것이고, 그러자면 초등교육, 집안 교육이 반드시 필요하다.

일화 한 토막.

한 번은 과외를 하다가 한 숨 돌리고 있는데 어머니가 딸이랑 같이 일본차를 갖고 들어오셨다. 그리고는 "선생님이 가르치는 애(딸)의 언니에요. 지금 ○○대학에 다니고 있습니다." 하고, 딸에게 나를 인사시키는 것이었다. 그리고는 "선생님, 시간 나실 때 저희 애랑 데이트 좀 해주세요."라고 말씀하셔서 당황한 적도 있었다.

나중에 학교 친구들과 이야기하던 중 학부모들이 동경대 가정교사를 선호하는 이유에 대해서 듣게 되었다. 동경대학생이 잘 가르친다는 것은 일본적인 문화로 이야기하면 '다테마에(겉치레 표현)'이고 '혼네(본심)'은 딸의 신랑감을 찾아주는 데 있다는 것이었다.

그러나 나는 과외 가정교사를 많이 했지만, 일본 여자 분과 데이트를 해본 일이 없다.

데이트할 용돈이 아까웠던 것도 사실이고, 아르바이트와 공부를 병행하려니 시간이 없었다는 게 좀 더 진실에 가깝다.

입국관리소에 끌려가 구속되다

서늘한 바람이 느껴지는 가을이 되자 시험 기간이 돌아왔다. 전반기의 학기말 시험을 볼 때였다. 입국관리소에서 나왔다는 사람이 교실 안까지 들어와 나를 데리고 갔다. 시험을 보다 말고 갑자기 입국관리소 유치장에 수감당하는 황당한 사건이 일어난 것이다.

알고 보니 일본은 사법부와 행정부가 독립되어 있어 사법부에서 처리한 일을 행정부가 이상하게 여겨 나에 관해 정밀조사를 했다는 것이다. 2차 대전이 끝난 지 10여 년이 지났는데, 내 조서에 의문을 가진 입국관리소에서는 관계자를 일일이 찾아다니며 사실 여부를 확인했다. 그 과정에서 내가 거주하던 주소지를 찾아가 집 주인에게 나에 관해 물었는데, 집 주인이 나를 칭찬한다는 게 오히려 화를 불러일으키고 말았다.

주소지를 찾아온 입국관리소 직원이 "혹시 이 사람 아세요?" 하고 나에 대해 묻자 집주인은 "알다마다요. 그 사람 수재예요. 올해 동경대학에 들어갔대요."라고 대답했다고 한다. 그 바람에 내 소속과 정체가 밝혀지고만 것이다. 나는 2박3일 동안 구속돼 있으면서 조사관의 물음에 숨김없이 솔직하게 고백했다. 조사관은 "사정은 딱하지만 강제 출국을 면할 길이 없네요."라며 나를 위로해 주었다.

중간시험을 보다가 교실 밖으로 끌려 나가는 내 모습을 본 학우들과 학교 당국에서는 내 석방을 위해 탄원서를 써주었다.

'비록 법은 어겼지만 공부하겠다고 목숨 건 모험을 하면서 현해탄을 넘어 동경대에 들어올 정도의 학생이면 일본이 남은 공부는 마치게 도와주고 고국으로 돌려보내는 것이 장래의 일본에도 도움이 되는 일이다.'

이런 내용이 담긴 탄원서였다고 한다.

다행히 이 탄원서의 효과가 있어 <일본 법무부대신 명의의 특별 재류허가서-단 학교 공부가 끝날 때까지->가 발급되었다. 그렇게 해서 나는 3일 만에 석방돼 복학할 수 있었다.

학교 당국에서도 나를 불러 위로하고, 면학(勉學)하려는 의도는 좋지만 법은 지켜야 한다면서 더 열심히 공부에 매진하라고 말해주었다. 나는 학우들과 학교 당국의 도움으로 제2의 인생을 살게 되었다. 나는 희귀한 운명을 가진 것인가. 절점(節點 : singularity)이 있을 때마다 주변의 도움을 받는 행운아인가? 지금 이 나이에 생각해 보면 다 하나님의 계획과 은총이라고 할 수밖에 없겠다.

그런 사정으로 학기말 시험을 보지 못해서 1년 유급을 했고, 그 바람에 졸업이 늦어졌다. 그 대신 문학, 예술, 사회과학과 같은 내가 교양을 쌓을 수 있는 책들을 읽을 기회를 얻게 된 것도 주님의 은총이라는 생각이 든다. 그래서 나의 집에는 이런 책들과 아내의 책 등 내 전공과는 어울리지 않는 책들이 많다.

유급시절의 생활

뜻밖의 구속사건으로 학기말 시험을 치르지 못한 나는 필수과목 학점을 하나도 따지 못했다. 그러니 진학을 하려면 1년을 더 기다려야 했다. 하지만 그 덕분에 시간이 나는 대로 책을 읽을 수가 있었다. 교양학부 시절에 배운 필수과목을 다시 읽고 공부하며 관련된 다른 서적을 읽었다. 당시 교양학부를 창설한 대학교는 동경대가 처음이었는데 학교에선 일단 학생을 이과(理科), 즉 자연계를 비(非)생물계와 생물계로 나누어 비(非)생물계의 과학과 공학은 이과 일류, 생물계의 의학, 농업, 체육은 이과 이류로 구분하고 있었다.

　나는 이과 일류에 속해 있었다. 이과 일류에선 인문, 사회과학이 필수과목이라서 이를 선택해 이수해야 했다. 그래서 나는 사화과학에선 철학개론, 법학개론, 경제학개론, 서양사개론, 심리학개론을 선택했다. 또 자연과학에선 당연히 물리, 화학, 수학 과목이 필수였는데 공과 계를 가려면 도학(圖學)이 필수 과목이었다.

　경제학개론에선 『Samuelson 경제학』을 교과서로 사용했다. 여기서 처음으로 경제성장의 요인이 저축이 아니라 자본의 유통에 있다는 것을 알게 되었다. 이런 과목들은 이과 문과를 구별하지 않고 대강당에서 다 같이 수강하기 때문에 일찍 강당에 들어가야 앞줄에 앉아 수업을 들을 수가 있었다.

　철학은 Friedrich Karl Albert Schwegler의 『서양 철학사』를 읽었다. 저자는 독일인 철학자이며 신학자, 헤겔(hegel)의 학파에 속한 Wikipedia(선의의 독재자 그룹)이다. 면학 분위기가 이러했으므로 이와 관련한 책도 자연스레 읽게 되었다. 하이데거(Heidegger)의 『존재와 시』도 이때 읽은 것이다.

　나는 문학에도 관심이 많다. 서구소설을 특히 많이 읽었는데 그 중에서도 로맨 롤랑(Romain Rolland)의 『베토벤의 생애』는 나에게 학문을 하겠다는 신념을 불어넣어 주었던 책이다. 이 책은 소파에 누워서 읽다가 감동해서 벌떡 일어나 울었을 정도였다. 이 책을 읽고 천부의 재능은 주님이 주신 것이므로 죽을 때까지 그 재능을 소진해 가는 것이 주님의 뜻이라고 생각하게 되었다.

　이 작가의 다른 소설 『매혹된 영혼』을 읽으면서는 타인을 소중히 해야 한다는 신념을 가지게 되었다. 아마도 이때 독서에 재미를 붙인 것 같다. 책을 다 읽으면 역 앞에 있는 책방에 가서 읽고 싶은 다음 책을 사서 읽다가 저녁시간이 되면 가정교사 아르바이트를 하러 가는 게 일상이었다. 오오모리[大森]역(驛)으로 가면서도 전차 안에서 읽을 책 이와나미문고[岩波文庫]를 사서 찻간에서 읽었다.

이와나미문고는 아마도 200권 넘게 갖고 있다. 문학, 사학, 시, 철학, 예술, 음악, 미술에 관한 책이다. 그 외에 penguin books도 꽤 많이 갖고 있고, Somerset Maugham의 『Of HUMAN BANDAGE(인간의 굴레)』를 비롯해 Hemingway의 『A Farewell to Arms(무기여 잘 있거라)』는 입시 준비를 위해 읽은 소설이다.

『Of HUMAN BANDAGE』는 어려서 양친을 여의고 숙부 밑에서 자란 신체장애를 가진 고아가 반듯한 생애를 향한 열망으로 역경을 극복하려 애쓰는 인생을 산다는 내용의 사소설이었다. 주인공 Philip Carey는 신앙을 버리고 학문을 하는 데도 의의(意義)를 잃고, 그렇다 보니 자기도 모르는 사이에 나태해진다. 부끄러운 사람이 되어 재능마저 없음을 깨닫고 그림 솜씨도 버려야 하는 자신을 깨달으면서 악연(愕然)하는 모습이 기억에 남는다. 지적인 직업을 택하는 사람이라면 읽어볼 만한 소설이라고 생각한다.

『A Farewell to Arms』은 전쟁 지옥 야전병원에서 만난 의용군과 간호원 간의 사랑 이야기다. 자신의 세계를 찾아 탈출엔 성공하였지만 기다리고 있었던 것은 사랑하는 여인 Catherine의 죽음이었다. 죽음에 앞서 Catherine이 애인에게 남긴 유서가 기억에 남는다. 사랑의 진의는 상대의 행복을 위해 어떻게 하느냐를 말하는 것이었다. 이 소설의 마지막 장면 Catherine이 애인에게 유언하는 장면은 사랑의 진수(眞髓)를 찌르는 미의식이라 생각했다. 모험이라는 단어의 울림은 아름답지만 실패하면 최악으로 치닫는 인생 최고의 도박이라는 생각이 들기도 했다.

나는 Catherine의 마지막 장면을 외우고 있었는데 나의 아내 의순 씨에게 암송해 주었다.

"you won't do our same things with another girl, or say the same things will you?"
"Never."
"I want you to have girl, though."

나는 당시 대학입시 영어 작문 시험을 위해서 영어 원서를 읽다가 마음에 드는 문장이 나오면 외우고 있었다.

대학에 들어가서는 이것저것 많이 읽었다. Herbert Read의 『The Meaning of Art』는 회화 조각과 같은 미술에 대한 가치기준을 설명한 책이었고, 1956년 마스노아사이(增野正雄) 씨의 번역으로 나온 『예술의 풀의 뿌리(藝術の草の根 : The Grass Root of Art)』는 당시의 첨단기술 원자력시대 예술은 어떻게 존재·지속될 수 있느냐 하는 문제에 대해 예술적인 고찰을 한 책이었다. 기계문명은 새로운 미(美)를 창조해낼 수 있느냐에 대해 격변하는 현대를 살아가는 예술과 생을 같이하는 사람들이 솔직하고 심각하게 답을 제안한 책이었다.

나는 이 책의 내용도 간략하게 생전의 아내에게 이야기했다.

"나는 시 읽는 것도 좋아해요. 워즈워스(William Wordsworth,

영국의 낭만주의 시인)의 시가 너무 좋아서 그의 시를 집대성한 『The poetical works of Wordsworth』를 마루젠(丸善) 서점을 통해 영국에 주문해서 샀지요."

아내의 다음과 같이 화답이 아직 나의 기억에 생생하다.

"그래요? 워즈워스는 저도 좋아하는 시인이에요. 저는 워즈워스의 시 <수선화(Daffodils)>를 외우고 있어요."

조용히 이야기를 듣다가 내게 말해주던 그녀의 미성은 내 지적 호기심을 일깨워 주었다. 아름다운 화제로 이렇게 서로 대화를 나눌 수 있다는 사실에 나는 큰 행복감을 느꼈다. 결코 잊어버릴 수 없다.

"독일의 이와나미문고[岩波文庫]라고 할 수 있는 레클람 문고(Reclam)의 책도 몇 권 갖고 있어요. 독일 시를 일본어 번역으로 읽다가 원문을 읽고 싶어서 독일에 주문해서 구한 것입니다."

나는 그때 읽었던 J. W. Goethe의 시 『Die Leiden Des Jungen Werthers』, Gedichte. Rilke의 『Gedichte』, Ausgewählte의 『MÄRCHEN - Kinder-und Hausmärchn』 등을 갖고 있다. 아내와 문학 이야기를 나누다 보니 시간은 벌써 해질 무렵이었다. 우리는 하루 종일 이런 이야기를 하느라 시간 가는 줄 모르고 지냈던 그때가 그립다.

15년 만에 고향을 찾아가다

앞을 막아서는 어머니와 헤어져 밀항선을 타고 일본에 온 지 15년 만에 어머니의 병환이 급하다는 통보를 받았다. 어머니를 뵈러 고향에 가서 어머니 부탁으로 동생이 저지른 일을 정리하기 위해 친구 분인 의사 김현옥 씨가 빌려준 20만 엔으로 은행 담보를 정리하고 법적 청산을 해 어머니를 안심시켰다. 동생이 어머니를 돌보아야 할 형편이었기 때문에 약혼을 시키고 결혼비용을 주면서 나는 공부하는 중이라 당장 결혼할 수 없다며 어머니의 양해를 얻었다.

친구인 덕주의 메신저 역할을 하고 돌아가려고 서울로 올라와 부탁받은 편지 한 통을 그의 여자 친구인 변 선생에게 전달하기 위해 숙명여자대학교에 들렀다.

봉투를 개봉하고 편지를 읽은 변 선생은 밝게 웃으며 나에게 아주 깜찍한 여학생이 있는데 한 번 만나보지 않겠냐고 권했다. 편지에 무엇이라 적혀 있는지 모르지만 아마도 나를 소개한 내용일 것이라고 직감했다. 고국의 여성에게 관심도 아예 없는 것은 아니었기에 변 선생의 권유에 응했다.

얼마 후인 1964년 7월 16일 변 선생님의 권유로 만나본 이 여성은 뜻하지 않게 나의 천사가 된다.

첫 만남

첫 만남은 1964년 7월 16일.

그녀는 당시로서는 비교적 키가 큰 편이었고, 조금 모양을 낸 듯 보이는 곱슬머리, 하얀 얼굴은 하늘에서 내리는 흰 눈처럼 깨끗했다. 순간 내 두 눈은 설경의 아름다움으로 가득 찼다. 주변은 온통 하얀 눈으로 덮이고 마음에 내리는 하얀 눈이 나의 감성을 자극하는 그 순간, 그녀는 나에게 천사로 보였다.

고의순! 나는 그녀를 본 순간 바로 그녀가 나의 천사임을 알아보고 나의 수다(數多)한 인생 경험과 장래 꿈 이야기를 해주기로 마음을 정했다. 마음속에선 시(詩) 한 구절이 솟아나왔다.

나는 원래 시골 출신, 서울말로 말하자면 촌놈이다.
지금은 동경에서 공부하고 있지만
동경 촌놈임을 자인하고 싶다.
그러나 또한 나는 자연인이다.
자연은 아름답고 나에게 자유를 준다.
지금껏 자유의 달콤함을 꿈꾸고 있었는데,
당신을 만나 당신의 모습과 목소리를 듣고 나서
어찌 된 일인지 당신 앞에서 약자가 되어버렸다.
내가 생각하는 자유의 달콤함과 꿈은 간데없고
당신 앞에 무릎을 꿇고 싶어진다.
갑자기 나 자신의 괴로움보다 되레 이 괴로움이
나의 내심을 요동케 하고
끝내는 환영하고 싶어진다.

그래서 그녀에게 내가 살아온 이야기, 앞서 기술해온 내용들을 상세하게 들려주었다. 그리고 두 번째 데이트 날, 우리는 서로가 읽어본 책 이야기를 하며 하루를 보냈다. 내 눈에 비친 고의순 씨를 그려보며 쓴 시다.

신비로운 고의순 씨

그녀는 반기어주는 환상이었다.
순간을 물들여 주기 위해 보내준
사랑스러운 환상처럼……
그녀의 눈은 황혼에 빛나는 아름다운 별처럼,
또 그의 까만 머리에도 황혼의 빛이 스민다.
그러나 그의 몸에 지닌 모든 것이
7월의 화창한 새벽녘 보다 유혹되는 것.
따라붙어 사람을 놀랍게 하고, 매복하며
약여(躍如)하는, 밝은 성품의 모습
보다 가까이 다가서면
정령과 같은, 참된 여인
인간의 정(情)을 매일의 양식으로
너무 반짝이지도 않고 또,
선(善)도 지나치는 일 없이.
그리고 찰나의 슬픔, 단순한 음모, 칭찬,
비난, 사랑, 키스, 눈물과 미소에 어울리다.
변치 않은 이성, 조심성 깊은 의욕,
인내, 심려, 힘, 숙련을 갖추어,
경고하고, 위로하고, 지휘하는
높은 정신 신령으로 하느님이 그녀를
만드셨다.
그녀는 천사의 광명처럼 보기에 눈부시게
눈부시게 빛난다.

이 순간 나는 그녀가 내가 꿈에서 그려왔던 '진짜 나의 짝이다!' 하고 생각하게 되었다. 그리고 세 번째 데이트 날, 우리는 종로 르네상스 다방에서 만나 서로의 마음에 공감이 생겼고, 나는 의순 씨에게 청혼을 한다. 그때 그 상황은 다음과 같다.

The 3rd Date, 7월 18일 '르네상스' 다방

날이 밝자 웬일인지 없던 용기가 샘솟았다.

'to be, or to be not done', '이대로 되어도 그만 안 돼도 그만.' 그렇게 생각하니 마음이 편해졌다.

친지 집에도 별로 있고 싶지가 않아 약속시간보다 서둘러 일찌감치 종로 '르네상스' 다방으로 향했다.

'종로는 역시 서울의 중심가라서 번화하구나.'

여기저기 둘러보면서 나는 클래식 음악이 나오는 커피 다방 '르네상스'를 찾아 헤매었다. 이윽고 도착한 다방의 실내는 어두컴컴했다. 희미한 등불에 담배연기가 실내를 흐르는 모습은 마치 내 불안한 마음을 보는 것 같아 심란했다.

담배를 피우며 친구들과 담소를 나누는 사람, 마주앉아 속삭이는 한 쌍의 남녀 등 이곳을 찾는 사람들은 마치 한 모듈(module)처럼 여기저기 흩어져 앉아 있고 넓은 다방 안은 한산해 보였다. 음악을 감상하러 들어온 건지, 비즈니스 상담을 하러 온 건지 아니면 갈 곳이 없어 이곳에서 사랑을 속삭이는 건지 모르겠지만 나 역시 이런 사람들 대열에 합류했다는 생각이 들었다. 나는 그녀와 조용히 이야기 나눌 만한 적당한 장소를 고르기 시작했다.

내 이야기를 들어줄 그녀를 생각하니 담배 연기가 들어오기 어려운 장소, 조명이 환하게 비추는 장소를 찾게 된다. 신중을 기하다 보니 장소를 택하고 앉기까지 좀 시간이 걸렸다. 마음에 드는 자리를 찾아 커피 한 잔을 시키고, 요즘 갖고 다니는 이와나미문고[岩波文庫] 책을 꺼냈다. 책을 읽다 정신을 차리고 보니 약속시간이 한참 지났는데도 그녀가 오지 않았다는 사실을 깨달았다. 언제나 시간을 잘 지키는 그녀였는데 아직 보이지 않았던 것이다.

이상해서 곰곰이 생각해보니 오늘은 설악산에 다녀와서 오후에 만나자고 했었는데 그만 내가 깜박 잊어버렸다는 것을 알았다. 맘속으로 '그래, 오늘은 내가 평상시랑 조금 다르구나.'라고 생각했다. 그나저나 딱히 갈 곳도 없으니 '르네상스' 다방에서 느긋하게 책을 읽고 음악을 들으면서 그녀가 올 때까지 기다리기로 했다. 점심시간이 지나고 1시, 2시, 3시가 지났을 무렵 한 아리따운 여인이 급히 가게로 들어와 누군가를 찾는 듯 두리번거린다.

"아! 여기에요, 의순 씨!"

나는 손을 흔들며 그녀를 반겼다. 그녀는 밝은 미소를 지으며 내 곁으로 다가와 늦어서 미안하다고 사과를 했다.

"아니에요, 제가 오늘 약속시간을 깜빡하고 어제 그 시간에 왔어요."

"제가 오후라고 했는데요……."

"알아요. 그런데 제가 오전으로 착각했어요. 생각해보니 오늘은 오후 약속이었는데, 제 잘못이에요. 사실 제 마음이 급해서 일찍 온 것 같아요!"

"아니에요. 저도 약속 시간에 늦었어요. 빨리 오려고 비행기를 타다가 넘어져서 여기저기 긁히고 서울에 와서는 친구 집에 잠시 들렀다 오는 바람에 제 시간에 못 왔어요. 미안해요.”

나중에 알았지만 그때 그 친구는 그녀의 절친 김찬념 씨였다. 그녀는 친구 집에 들러서 옷을 빌려 입고 오느라 늦었던 것이다. 그녀의 고운 팔 여기저기에 보이는 긁힌 자국이 안쓰러웠다. 우리는 웃으며 마실 것을 주문하고 마주앉았다. 그녀의 아름다운 눈 속에는 내가 있는 것 같고 내 눈 속에 그녀의 모습이 비치고 있으리라는 생각이 들었다. 그 순간 나는 나쓰메 소세키[夏目漱石]의 ‘도련님’ 내지는 산시로(三四郎)가 된 기분이었다.

그녀의 얼굴을 바라보며 입을 열었다.

“이상해요.”

“뭐가요?”

“나도 몰라요, 의순 씨를 보면 용기가 생겨요. 아니, 자신감이요.”

“그게 뭔데요?”

“의순 씨와 함께라면 낭떠러지에서 뛰어내릴 수도 있을 것 같은 용기와 자신감이 생깁니다. 저와 함께 손잡고 낭떠러지에서 뛰어내려 보지 않으실래요?”

그러자 그녀는 “그래요!” 하고 바로 대답하는 것이었다.

깜짝 놀랄 반응이었다. 그만큼 그녀는 불가사의한 여성이었다. 내가 꿈을 이루기 위해 높은 장벽을 넘는 것은 물론이고 낭떠러지에서 뛰어내릴 용기와 자신감마저 생기게 했으니 말이다. 그녀에게 그런 내 심정을 고백하고 청혼을 했다. 그러자 그녀는 즉석에서 “그래요!” 하는 답을 주는 것이었다.

그 순간 나에게는 아름다움과 두려움이 공존했다. 대답하던 목소리가 얼마나 아름다웠는지! 이때의 그의 미성(美聲)은 나의 소중한 미(美)의식을 고양(高揚)시켜 주는 나의 생명의 원천(源泉)이고 성

74

공해야겠다는 의지의 동력이 되었다. 그때의 그 감정은 아직도 내 가슴속 깊은 곳에서 숨 쉬고 있다.

그리고 둘이서 손을 잡고 낭떠러지로 떨어져 53년을 같이 지냈다. 지금은 비록 그녀의 육신이 내 곁에 없지만 그때의 아름다운 숨소리는 여전히 살아서 내 가슴에서 숨 쉬며 나를 지배하고 있다.

내 인생의 동반자가 되어 달라는 부탁에 선뜻 승낙을 해준 그녀는 나의 천사 그 이상이며, 내 마음을 빛내주는 미(美)의식 그 자체다. 참으로 아름다운 여성이었다.

그때 난 이렇게 다짐했다.

You at last opened your real mind to me which makes me have the dream to be happy with you.

In my mind I make myself come to the decision to be such a good friend and a devoted partner who will love, who has loved, and who will love you to death, though death, and for ever.

그러나 인간의 하는 일엔 즐거움과 후회, 아름다움과 두려움이 공존한다. 인간은 아무리 꼼꼼하고 치밀하게 계획을 짜고 일을 해도 언제나 후회가 남게 마련이다. 후회하지 않도록 자연에 도전해도 자연의 신비를 넘을 수 없다는 것이 자연이 우리에게 주는 교훈이라는 생각이 든다. 그래서 자연을 두려워하는 인간의 모습이 오히려 아름다워 보인다.

자연은 인간의 능력을 초월하므로 자연을 많이 알수록 사람은 자연을 두려워하는 것인지도 모른다. 그 모습 속에 경의(敬意)와 존경이 있고 자신의 격과 품위를 닦아주는 기본이 있다는 생각이 든다. 그리고 부부애란 인간이 자연을 경외하고 두려워하듯 서로를 아끼는 경의의 모습이 아닌가 생각해본다.

아내를 여의고 나서 생각한다.

다시 태어난다면 나는 또 다시 이런 삶을 살 수 있을까? 공포와 아름다움이 공존하였던 그 모험은 되풀이될 수 없는 것이다. 아내에게 못해준 것들이 생각나고 지나온 길에 만족할 수 없다는 사실이 나의 눈물과 후회의 원천(源泉)이 된다. 아내를 만나러 갈 때 주님 앞에서 고백해야 할 죄의식이다. 이 글은 그런 배경의 연장선상에서 기술하고 있음을 고백하는 바이다.

몇 번의 죽을 고비를 넘기고 공부를 한 것은 이 천사를 만나게 하려는 하나님의 계획과 은총이라고 생각한다. 평상시 아내도 우리가 부부가 된 것은 하나님의 뜻이라고 말하곤 했다. 세 번의 데이트로 주저함 없이 서로를 인생의 반려자로 정하게 된 것을 그렇게밖에는 설명할 수가 없기 때문이다.

I can write those because you were the only creature in the world to whom I could speak freely of all I suffered and of all I experienced. Dear!

그녀가 내 안목을 높이 평가해서인지도 모른다. 나는 나의 목숨을 걸고 이 여인을 택했다. 그녀는 바로 나의 생명이었던 것이다.

우리는 서둘러 자리에서 일어섰다.

일본으로 돌아가기 전까지 해야 할 일들이 있었기 때문이다.

행복은 마음의 산정(山頂)을 오르는 데 있었다

우리가 만난 지 3일째입니다.
우리는 우리가 모르는 산을
오르고 있었습니다.
초록이 무성한 초야로부터
이따금 야생화가 피어 있는 곳을 지나
허허벌판에 하양 파랑 노랑
색색 꽃이 피어 있는 곳을 피해
우리가 힘겹게 올라간 곳은
암석으로 겹겹이 싸여진 암반
단애(斷崖)였습니다.
우리는 이 침묵의 단애에서 밑을 보았습니다.
무지(無智)의 초(草)가 노래 부르며
꽃을 피우고 있었습니다.
그러나 이를 아는 사람은 아무도 없었습니다.
단애에서 떨어지면 죽는다는 것이
속세의 지식이었습니다.
우리는 지식의 시초, 하나님만이 알고 있는
지식을 구(求)해 산정의 단애에서 뛰어내리는
인생의 모험을 택했습니다.

그렇게 살아온 이야기를 요약해 쓴 것이 이 소설의 내용이다.

약혼하던 날 7월 21일

그날 아침은 맑고 상쾌했다. 일찍 동네 이발관에 가서 이발을 하고 약혼식 시간보다 좀 일찍 갔다. 나는 못 들은 척하고 약혼식 장소로 들어갔다. 시간이 되자 모여든 하객들의 면면을 알 수 있었다.

약혼 이벤트 장소에는 약혼녀의 손님으로 의순 씨의 부모님 친구였던 박순천 여사(당시 민중당 대표), 그리고 성균관 대학교 권 총장 내외분이 와 있었다. 의순 씨의 외할아버지, 그 외 숙명여고 교장선생님, 나의 종매인 숙명여자대학교 약학과 변온성 교수 내외분, 그리고 고의순 씨의 숙명 동창이며 절친한 Intimate 김찬념 씨가 와 있었다.

양인기 동국대 교수(후일 천문대 대장)와 성기수 박사가 나의 친구로 와 있었다. 성기수는 하버드대에서 1년 만에 석사, 박사학위를 받고 귀국해 천재 중의 천재라는 평가를 받았으며, 훗날 KIST의 전산실 실장으로 오늘의 대학입시 수능시험의 전산화를 제안하여 실현시킨 친구다. 이 친구가 식의 순서와 진행을 맡아 수고해주었다.

약혼식에서는 맨 먼저 박순천 여사의 축하가 있었다. 박 여사는 추억 이야기로 시작해 눈물을 닦으며 자신과 고의순 씨의 어머님 허영순 여사와의 관계를 설명했고, 자신이 의순의 후견인을 맡은 이야기를 해주셨다. 이하는 박 여사가 당신 속내를 밝힌 축사이다.

"의순의 어머님은 나와는 대한부인회를 같이한 분이었습니다. 실은 그의 남편 고영환 선생과는 제가 알고 지냈던 사입니다. 저는 일본 동경 유학시절 동경여자대학을 다니고 있었고, 그는 일본 사학의 명문 와세다[早稻田]대 정외과를 다니고 있어 그때 알고 지냈

78

습니다. 자신이 숙명여고를 나와 경성사범을 나온 재녀와 결혼하기로 했는데 나에게 도움이 되는 친구가 될 것이라며 소개해주어 그 이후 의순 양의 어머니는 나의 친구 중의 친구가 되었습니다.

부인회의 선전부장으로 있으면서 여성해방운동을 비롯하여 대한민국의 신여성상을 세우려 무척이나 노력하신 나의 친구였습니다. 6.25 전쟁은 의욕적이고 평화롭고 희망적인 일상생활을 하루아침에 허물어뜨렸습니다. 내가 초등학교 4학년생인 의순이의 후견인으로 나선 것이 이 사건 이후부터입니다.

오늘 의순 양이 유망한 짝을 만나 약혼을 한다기에 와서 만난 신랑감이 우리가 일본 유학하던 시절 감히 넘보지 못하였던 일본 최고의 동경대학을 다니는 수재이고 용모도 수려하였습니다. 이렇게 내 딸 의순의 약혼식에 한 마디를 하고 있으니 감개무량함을 표현할 길이 없습니다. 감회의 깊은 눈물뿐입니다.

예비 신랑 부탁합니다. 시종일관(始終一貫) 오늘의 결심과 그 아름다운 마음이 인생 끝날 까지 한결같은 마음과 행동으로 이 어려운 세상을 둘이 함께 잘 극복해 나가 유종(有終)의 미(美)를 장식하는 일생이기를 희망합니다."

이런 취지의 축사와 격려의 말씀을 해주셨다.

어저께 산 보석 자수정 반지를 약혼녀 고의순 씨의 손가락에 끼워주며 행사는 끝나고 단란한 회식을 같이 한 후 약혼식장을 나오는데, 일행이 우리를 택시에 태워주며 남산이나 일주하라는 것이었다. 생전 처음으로 여인과 택시를 같이 타는 경험을 하게 되었던 것이다. 서로 손을 흔들고 인사를 나눈 다음 우리는 남산 쪽으로 드라이브를 하며 고지대에서 서울 구경을 하게 되었다. 어디쯤인지 기억은 없다. 그때 돌연 의순 씨는 나의 손을 잡더니, 점점 잡는 강도가 세지는 것을 느꼈다.

나는 깜짝 놀랐다. 세상에 태어나서 처음 이성의 손을 잡아보는 것이지만, 나에게 자기 일생을 맡기겠다는 무언의 결의를 표시하는 것이 그녀의 마음속 깊은 곳, 혼의 외침임을 깨달았다. 순간 나도 못지않게 내심으로 결의를 하였다. 둘의 마음, 혼이 하나가 되겠다는 맹세였다. 우리만이 알고 이해할 수 있는 무언의 보물이었던 것이다.

그때의 장면과 마음의 동요를 생각하면 지금도 박 여사가 말씀하신 시종(始終) 일치엔 아무런 이상도 없다는 사실이 새삼스럽다. 떳떳이 살다 죽어 그녀 고의순 씨 곁으로 가겠다는 나의 결의엔 한 치의 오차도 없다는 것이다.

7월 22일 어머니에게 며느리 감을 소개하고 인사하러 갔다.

일본에 돌아가기 전 어머니께 의순 씨를 인사시키기 위해 제주에 데려가기로 하여 우리는 다음날 일찍 제주로 떠났다.

병환 중이신 어머니는 장가를 갈 수 없다던 아들이 갑작스럽게 맏며느리 감을 데리고 고향에 온다고 하자 옷을 곱게 차려입고 우리를 기다리고 계셨다. 아들이 일본에서 가지고 온 옷을 입고 계셨다. 그러나 의순 씨가 어머니에게 인사를 하고, 며느리 될 사람의 집안 사정을 들으시더니 생각이 달라지신 것 같았다.

"봉진아, 너는 어쩌면 그 많은 좋은 신부 감을 마다하고 고아를 데리고 왔니?" 하시며 우리의 결혼생활에서 예상되는 아들의 고생을 염려하시는 것 같았다.

"어머니, 고생은 지금껏 해왔지 않아요? 지금부터 이 사람과 잘 살 거예요. 고생도 사랑이 있으면 행복한 것입니다." 하고 설득하였으나 어머니는 도무지 당신의 고집과 주장을 굽히실 것 같지 않았다.

우리는 고향에서 하룻밤을 지내기로 하고 한라산 중턱에 올라 멀리 바다의 수평선을 바라보며 하루를 보냈다. 다음날 어머니께 이별 인사를 하러 어린 시절 어머니와 같이 살던 집에 들렀지만, 우리의 인사도 받지 않으시는 어머니의 뒷모습을 보며 떠나야 했다.

그 이후 어머니는 지병으로 세상을 떠나셨고, 이날의 만남이 우리가 본 어머니의 마지막 모습이었다. 그러나 지금쯤 어머니는 우리의 일생을 돌아보시고 그때 우리 둘과의 매정했던 만남을 후회하고 계시지 않을까? 지금은 며느리와 함께 즐겁게 계시리라는 생각을 한다. 우리는 적어도 어머니께 염려를 끼치지 않기 위해 열심히 살고 그렇게 사는 것으로 효도를 대신하였다고 말하고 싶다.

제주에서 서울로 되돌아왔다.

그날은 날씨가 좋지 않았다. 비가 오고 바람이 심해 혹시라도 내일 일본으로 돌아가는 일정에 이변이 생기는 것은 아닌지 내심 불안했다.

어머니를 찾아뵙고 돌아가는 길

고향에서 잘 보이는 비바람이 치는 날,
공항으로 떠나는 우리를 당황케 한다.
어머님의 불안을 안게 해 떠나는 우리에게,
어머님의 외침처럼 들린다.
그러나 바람은 어머니에게
꼭 행복해 보이겠습니다, 하는 우리의 외침이고,

우리의 효심의 외침이었다.
우리의 의지 표시이고,
우리의 희망의 소리였다.
어머님에게 드리는 이별의 인사 소리였다.
바람이 잦고 해가 떠 푸른 하늘 아래 한라산을 보면
참으로 우리 아들 장하다.
저 한라산이 변하지 않은 것처럼,
너희들도 그러니 하고 믿고 있다는
어머님의 메시지
그리고 나의 맏며느리도 고맙다,
훌륭한 내 맏며느리다 하는 소리,
참으로 나의 맏며느리 우리 집의 보배였구나,
하며 며느리 칭찬을 저 세상에서도
할 것 같은 믿음의 소리이다.
우리는 잘 살아 효도로 보여 드리겠습니다,
하는 우리의 외침 소리.
내 마음은 이별의 눈물을 마시며
다짐을 하며 목소리를 줄인다.
우리 둘은 공항으로 향했다.
비바람 치는 소리를 들으며.

일본으로 떠나던 날 7월 25일

약혼식을 마치고 6일 만에 서울을 떠나던 날이었다.

어제 거칠었던 날씨가 언제 그랬느냐는 듯 거짓말처럼 쾌청해진 초여름 날씨였다. 반도호텔(현 롯데호텔) 앞에 약혼녀 의순 씨와 친지 분들이 나를 환송하기 위해 나와 있었다. 버스를 타기에 앞서 의순 씨에게 다가섰다.

"시간이 되면 앞서 대충 이야기한 Romain Rolland의 『매혹된 혼』과 Thomas Mann의 『Tonio Kröger』를 읽고 오세요." 하고 권하였다. 그러자 의순 씨는 "네, 꼭 두 책을 사서 읽고 가겠습니다." 하고 대답해주었다.

둘은 약혼한 사이지만 손을 잡는 것도 어색하였다. 그 손도 부끄러워 차마 보지 못하고 주변의 친지들 한 분 한 분에게 인사하고 손을 흔들며 공항 행 버스에 올라탔다. 점점 멀어져 희미하게 보이는 그들을 바라보며 나의 수첩에 썼던 글이 일본에 오자마자 아내에게 보낸 다음의 글이다.

To my Beloved

If man can't be a superman even for a moment in his life-time. Is there any worth living? without man's finding his superhuman element in him, which is for his Beloved's sake. And the very possibility as he possesses being hidden in his own, too.

What a beautiful and wonderful life it is!!

Don't you think so? see again my dearest.

- your devoted admirer

약혼녀가 일본에 오던 11월 3일 월요일

의순 씨를 실은 Northwest 항공기는 예정 시간대로 일본 하늘의 현관 하네다 공항에 착륙했다. 도착 시각은 5:30 pm.

나는 임재학 선배와 함께 그녀를 마중하러 나갔다. 약혼하고 5개월간 서로 편지를 주고받으며 사랑을 고백한 사이가 되었지만 막상 얼굴을 보니 선뜻 포옹하지는 못하고 조심스럽게 웃으며 인사를 나누었을 뿐이다.

약혼녀가 갖고 온 선물 꾸러미를 받아 드니 하늘에 붕 뜬 기분이 되었다. 어찌나 기쁘던지 그녀 외에 아무도 보이지 않을 만큼 행복감을 느꼈다. 마치 열심히 찾던 뭔가를 발견이라도 한 듯 내가 가져야 할 another one이 내 눈 앞에 있다는 사실이 믿기지 않았다. 이거야말로 세 번의 데이트가 일으킨 기적이 아니고 무엇일까? 기쁨을 감추고 나는 선배와 둘이서 약혼녀의 짐 가방을 들고 껑충껑충 뛰는 기분으로 공항을 나왔다.

At the moment which two souls were united with one.

나는 신혼집으로 빌린 도기와 다이[常盤臺]로 2층 셋집 앞에서 약혼녀를 안고 계단을 올라갔다. 약혼녀를 내려놓고 보니 부탁해놓은 배급 쌀도 현관 앞에서 주인을 기다리고 있었다.

문을 열고 들어간 약혼녀는 새로 꾸며진 셋방의 구조와 가구, 부엌을 보며 만족해했다. 당일 손수 만든 음식으로 식사를 했는지, 시켜 먹었는지 기억이 나질 않는다. 보이고 느끼는 것이 약혼녀에게 집중이 되어 있어서였는지도 모른다.

오랜만에 같이 지낸 밤은 길었다.

그간 못다 한 이야기를 하느라 거의 밤을 지새웠다.

둘째 날 11월 4일 화요일

다음날 아침이다. 약혼녀가 만든 간단한 음식으로 아침식사를 하고 우리는 동경 나들이를 했다. 가장 먼저 학교로 갔다. 과(課) 연구실로 가던 중 복도에서 기계과 주임, 유체역학(流體力學)을 가르치는 시라쿠라[白倉] 교수를 만났다. 나는 교수에게 약혼녀를 소개했다.

그는 내가 어머니 문병 차 한국에 다녀오게 되었을 때, 일본으로 돌아와 학업을 마칠 수 있도록 재입국허가를 내달라는 진정서를 일본 법무성장관에게 써주신 교수다. 그 선생님은 일개 유학생을 위해 정부의 법무부장관에게 청원서를 써주는 것이 당연히 해야 할 일을 하는 것이라고 말씀하셨다. 그런 말씀에 감동을 받아 이후 나는 인격적으로 그 교수님을 존경했다.

나중에 그분은 일본기계학회 회장이 되셨다. 내가 한국 KIST에 있을 때였는데, 교수님께 회장 취임 축전을 보냈다.

1964년 당시는 한일 국교가 없어서 여권 대신 주일본 한국대표부에 가서 여행증을 받아야 외국 여행을 할 수 있었고, 일본에 사는 교포들은 일본 출국 때 재입국허가를 미리 받지 않으면 재입국이 불가능하던 시대였다.

더구나 나처럼 특별체류허가를 받고 일본에서 공부하는 사람이 재입국허가서를 받는 일은 더더욱 힘들던 시대였다.

시라쿠라 교수는 의순 씨가 영어로 인사를 하자, 당황한 듯 웃으며 더듬거리는 영어로 대응했다. 갑작스럽게 의순 씨의 세련된 영어 인사를 받은 교수는 나를 보며 일어로 말했다.

"이(李) 군, 이 예쁜 영양(令孃)이 이군의 fiance면, 더 노력할 수밖에 없겠네요! (此の お令孃さんが李君の 許嫁であれば、もっと 頑張るざる得ませんね!)"라는 말을 던지며, 약혼녀를 칭찬하는 것이었다. 의순 씨의 영특해 보이는 인상과 유창한 영어 실력에 압도된 모습이었다. 그 교수는 이지(理智)적인 미(美)를 가진 한국 여성을 처음으로 만나보는 것 같았다.

연구실에 들렀다가, 나는 산시로 연못[三四郎池]으로 의순 씨를 안내했다. 산시로 연못은 내가 일본에 건너와서 동경대학에 막 입학한 덕주 군과 처음 만났던 장소다. 그곳으로 의순 씨를 안내하고, 연못 주위를 한 바퀴를 돌며 이 연못 이름이 어떻게 해서 산시로 연못[三四郎池]으로 지어졌는지 설명해 주었다.

"명치유신(明治維新) 때 발족한 일본의 새 정부는 서구(西歐)로부터 문물에 관한 지식을 도입하여 강건한 새 국가를 만들려는 정책을 쓰고 있었습니다. 그래서 당시 인재들을 선진국이었던 서구로 보내 이들 국가의 선진화에 큰 역할을 하고 있는 교육의 실태를 보고 이를 일본에 들여오기로 합니다. 이들은 하나같이 서구 지식을 체계적으로 소화해 새로운 일본을 만들고자 했죠. 그러면서 서구 지식을 계통적으로 학문화해서 종합적으로 다루는 종합대학의 필요성을 느끼게 되었습니다. 일본 최초의 종합대학 설립 부지를 물색하던 중 혼고혼후지쵸[本鄕本富士町]가 낙찰돼 여기에 동경대

의학교가 첫 번째로 자리를 잡고, 혼고[本鄕]에 있는 당시 일본의 다이묘[大名], 가가한[加賀潘]의 대저택(邸宅)에 메이지 8년 종합대학 건설을 기공해서 이듬해 여기저기 분산해 있던 단과대학을 이곳에 모은 것이 동경제국대학이었고, 오늘날의 동경대학이에요. 그 저택 속에 있었던 연못의 이름이 원래는 신지이께[心字池]였습니다. 그런데 그 이름을 산시로[三四郎] 연못으로 바꾼 거랍니다. 이름을 왜 바꿨을까요? 저는 그런 점이 바로 우리나라의 사고방식과 다르다고 느꼈습니다. 이 이야기의 요점은 나쓰메 소세키의 소설 『산시로[三四郎]』를 읽으면 알 수 있어요. 소설의 내용은 이래요.”

의순 씨가 눈빛을 반짝이며 나의 다음 말을 기다렸다.

“명치유신 변동기에 대망의 꿈을 품고 뜻을 이루고자 일본의 각처에서 패기 왕성한 젊은이들이 일본 최초의 대학 ‘동경제국대학’으로 몰려들었습니다. 치열한 입시 전쟁을 뚫고 합격한 젊은이들의 잠시 휴식처가 된 곳이 캠퍼스 내에 있는 아름다운 연못이었습니다. 그 젊은이 중 한 명이 ‘산시로[三四郎]’라는 청년입니다. 그는 시골 규슈[九州] 후쿠오카[福岡]에서 대망의 꿈을 이루고자 상경해 어렵게 동경대에 입학하여 학교를 다니고 있었습니다. 어느 날 ‘산시로’는 연못 내에 지어진 오두막집에 앉아 있었는데, 그때 시골에선 볼 수 없었던 아리따운 아가씨를 보고 그녀에게 연모를 느끼게 됩니다. 그리고 인연이 되어 그녀와 사귀게 됩니다. 그러나 대도시 생활에 익숙한 이 여성에게는 산시로 이외에 다른 남자들이 있습니다. 산시로는 그 사실을 알고 고민합니다. 대망을 이루고자 온 산시로에게는 학업에 전념을 할 수 없는 나날이었습니다. 산시로는 아리따운 그녀와 계속 교제를 할지, 아니면 그녀와 헤어지고 꿈을 이루려는 초지(初志)로 돌아갈 것인지 고민합니다. 그는 그녀와 헤어져야 할 나름의 논리 '그녀는 『무의식의 위선 : 'unconscious hypocrit'』이다'라고 단정하고 그녀와 헤어집니다.

아마도 학교가 소설 주인공 '산시로[三四郎]'처럼 초지를 이루는 인재가 많이 나오기를 기대해 연못 이름을 신지[心字池]에서 '산시로 연못[三四郎池]'으로 바꾼 게 아닐까 싶습니다."

아늑한 장소에 앉아 의순 씨의 손을 잡고 이런 이야기를 했다. 이성에 대한 내 생애 첫 능동적인 행위였다.

"의순 씨! 이 연못이 시골에서 올라온 나쓰메가 동경제국대학에 들어와 처음 아름다운 여인을 만났던 장소입니다. 산시로[三四郎]는 소설이지만 사실은 나쓰메 소세키 자신의 이야기라고 해요. 당시 평론가는 단순하게 주인공의 실연(失戀)에 초점을 맞추기도 했어요. 그의 사랑의 종결 이야기라는 식으로요. 평론가는 산시로가 자신의 대망을 이루기 위해 그 미모의 여성과 헤어질 수밖에 없었음을 몰랐나 봅니다. 여하튼 100년 전에 출판된 이 소설이 아직도 잘 팔리고 있어요. 동경대에 들어올 정도의 학생이면 그 배경이 된 이 연못에 관심을 가질 수밖에 없어요. 나쓰메 소세키는 일본의 셰익스피어(shakespeare)라고 한답니다.

세상에 태어나 처음 내 의지로 이성의 손을 잡았습니다. 당신은 'unconscious non-hypocrite'입니다. 제가 만든 말이지만 you are unconscious wise and virtuous lady having beautiful mind. 나의 꿈과 대망을 이루기 위해 당신이 내 생명이며 힘이라는 사실을 알게 되었습니다.

덕주 군과 나는 늘 장래의 포부를 이야기해요. 내 꿈은 내게 기회가 오면 제대로 해내는 진정한 전문가가 되는 거예요. 종종 우리나라의 내로라하는 사람들은 다 선장이 되려고 합니다. 하지만 우리는 누가 선장이 되건 선장의 명령이 있으면 언제든지 배를 움직일 수 있는 유능한 일꾼이 되어야 합니다. 당신과 함께 당신을 위한 나의 대망을 꼭 이루어내겠다는 다짐을 여기서 하고 싶네요. 나를 사랑하고 도와주실 것을 믿고 있습니다. 당신은 하나님이 보내주신 나의 천사니까요.

당신은 나를 위해, 나는 당신을 위해서 태어난, 말하자면 하나님의 은총을 입은 두 사람입니다. 이제 토요일 날 결혼식이 끝나면 우리는 몸과 마음이 하나인 부부가 되네요. 생각만 해도 가슴 벅차고 행복합니다. 앞으로도 나를 믿고 사랑해 주세요. 나도 역시 물론입니다. 나는 오늘 여기 뜻있는 장소에서 당신에게 다시 한 번 내 마음을 고백하고 다짐을 합니다. 의순 씨에게 글이 아니라 말로 고백하고 싶었어요."

나는 진심을 다해 이야기했다. 잡았던 손을 놓고 일어나 우리는 시계탑 뒤에 있는 커피숍으로 들어갔다.

당시 동경대 예비학교가 제일(第一)고등학교였다. 해방이 되면서 교양학부로 이름을 바꾸어 내용이 새로워졌다. 그러나 학생들 간에 구(舊) 제일고등학교 시절의 기백(氣魄)은 남아 있었다. 그 기백이 '오료가(五寮歌)'라는 노래로 남아 있다. 이 '오료가(五寮歌)'를 보면 당대 젊은이의 꿈은 권력에 있지 않음을 알 수 있다.

아아 옥배(玉杯)에 꽃을 띠우고
파란 술에 달 그림자 머물게 하고
치안(治安)의 꿈에 빠져
영화를 쫓는 속세의 길을 낮게 내려다보며

저 건너 언덕에 우뚝 솟아 있는
오료(五寮)의 건아들 의기(意氣) 높아라!

약혼녀를 소개하려고 찻집에 있는 전화기 내선으로 물리학과 사무실에 전화를 걸어 김덕주 박사를 불러냈다. 그는 나와 학창시절 5년을 같이 보낸 친구이자 사우(師友)다.

여기저기 하얀 가운을 입은 여성들이 동성 또는 이성과 앉아 담배를 피우며 커피를 마시고 대화하는 모습을 본 의순 씨는 조금 놀라는 것 같았다. 교내에서 여성들이 남녀차별 없이 담배도 피우고 대등하게 토론하고 자유롭게 교류하는 모습을 의순 씨는 그때 처음으로 보았을 것이다. 선진국에서 학우는 남녀를 불문하고 친구라는 것을 이때 처음으로 실감한 것이었다.

나는 한 발 더 나아가서 부부도 친구라고 생각한다. 그래서 부부의 사랑은 우애(友愛)라고도 생각한다.

덕주가 손을 흔들며 커피숍 안으로 들어온다. 우리는 일어나 그를 맞았다. 나는 덕주에게 의순 씨를 소개했다. 그도 인간이라 며칠 후면 결혼할 자신의 모습을 떠올렸을 것이다. 당시 나는 덕주의 결혼 고민을 듣고 상담을 했다. 덕주 입장에서 간절히 원하는 결혼이 아님을 누구보다 잘 알고 있었다. 덕주는 일본을 떠나 유학가기 전에 자기를 흠모하는 여인을 책임지려고 결혼식을 치르고 미국으로 가기 위해 결혼을 결심한 것이었다.

커피를 마시며 금요일 오후 신칸센[新幹線]으로 오사카에 내려가 토요일 오전에 결혼식을 하기로 했다는 일정을 말하고 오사카에서 만나자는 약속을 한 뒤 우리는 자리에서 일어났다.

옆에 있는 동경대 '학생공동조합'이 운영하는 책방으로 약혼녀를 데려갔다. 처음 보는 책방의 규모에 놀라는 것 같았다. 서울에서 구하지 못한 로만 롤랑의 『매혹된 영혼』도 찾아줬다. 이 책방은 신입생이 입학할 때 조합원으로 500엔을 투자하는 자본으로 운영되는 책방이다. 책을 살 때 회원증을 보여주면 할인해주고 졸업할 때 투자금을 돌려준다. 인문사회과학, 이공계 도서, 독, 불, 영, 로 등의 세계양서(洋書)가 가득 진열된 코너를 돌며 우리는 진열된 책들을 살펴보고 책방을 나와 후문으로 발길을 돌렸다.

가는 길에 구내 학교와 오차노미즈[お茶の水]역(驛) 그리고 오카지마지[御徒町]역(驛) 간을 직행 왕복하는 버스정차장, 그 옆에 있는 동경대 대학병원을 보여줬다. 우리는 버스정거장에 들어오는 오카지마지 행 버스를 타고 그 유명한 오카지마지 시장으로 향했다.

그곳은 2차 세계대전이 끝나면서 형성된 야미[闇]시장으로 수입품(일본어로 '하쿠라이힝[舶来品]'이라고 함)이 거래되는 시장이다. 웬만한 재일교포 부자라면 이 시장 안에 가게를 갖고 있다고 해도 과언이 아니었다.

나는 의순 씨에게 그곳에 덕주의 처가(妻家) 가게와 내가 입주 가정교사를 하던 사나다[真田] 씨 보석 가게가 있다고 설명했다.

나는 의순 씨를 데리고 사나다 씨 보석 가게에 들러 인사를 시켰다. 결혼반지로 0.5캐럿(carat) 정도의 다이아몬드 반지를 부탁했다. 바로 내가 대학을 졸업할 때 영국에서 수입한 천으로 자기 단골 양복점에서 양복을 Custom made 해주신 분이 바로 사나다 씨의 남편분이다. 사나다 씨는 약혼녀의 손가락 치수를 재더니 도매금으로 용달해 주셨다.

나는 사실 이 반지로는 아쉬워 훗날 돈이 생겼을 때 미국에서 돌아오는 길에 결혼반지보다 2배는 큰 제대로 된 반지를 아내에게 선물했다. 그리고 그 0.5캐럿 다이아몬드 반지는 재가공해서 작은 다이아몬드가 박힌 일상 반지로 만들었고, 어머니가 세상을 떠난 지금은 막내 딸 윤혜가 끼고 다닌다.

결혼 준비에 필요한 일들을 마치고 우리는 동경의 번화가 긴자[銀座]로 가서 둘만의 즐거운 시간을 가졌다. 덕주와 둘이서 맥주를 마시고 약혼의 기쁨을 나눴던 스키야바시, 때로 울적할 때 들렀던 장소 히비야 공원을 구경시켜 주었다.

일제 때 유명했던 최승희라는 무희(舞姬)가 공연했다는 히비야 공회당을 소개하자 그녀는, "최승희 선생님은 숙명 출신으로 어머니의 동기생이었어요."라고 말했다.

우리는 그 길로 긴자로 되돌아가 유명한 긴자 5종목에 있는 '수애히로[末広]'라는 카레 집에서 카레라이스를 먹고 집으로 향했다.

서쪽 하늘을 빨갛게 물들이며 저물어 가는 황혼을 배경으로 우리는 집으로 향했다. 우리에게 내일이 있다는 것이 얼마나 기뻤는지 모른다. 집에 도착해보니 오사카에서 온 조카 현지(賢枝)가 우리를 기다리고 있었다. 현지는 큰누님(현지의 어머니)의 심부름으로 신혼생활에 필요한 이것저것을 가지고 우리 집 앞에서 기다리고 있었다.

서둘러 집안으로 현지를 들여 누님 이야기, 결혼식 준비 이야기, 생활용품 이야기를 하며 밤늦게까지 대화의 꽃을 피웠다. 내일을 위해 잠자리에 들자며 새 침대에서 혼자 자던 의순 씨는 조카 현지와 같이 잤다. 나는 종전대로 바닥에 이불을 깔고 잠자리에 들었다.

다섯째 날 금요일, 11월 7일

내일은 우리의 결혼식 날이다.

오늘 현지(賢枝)랑 셋이서 오사카로 간다. 오사카에 가지고 가야 할 짐을 챙기고 간단히 아침식사를 한 다음 집을 나섰다. 연구실 동료는 물론이고 대학 동기들에게도 결혼 사실을 알리지 않았다. 일본에 있는 초등학교, 중학교 친구 몇 명에게만 연락해 놓은 상태였다.

동경 역에서 출발해 오사카까지 가는 기차여행. 지금 생각하면 이 여행이 사랑하는 조카 현지(賢枝)와의 마지막 여행이 되었다는 사실이 아쉬울 뿐이다.

열차를 타고 가면서 낮이 되자 도시락 3개를 사서 함께 먹으며 즐거운 한때를 나눴다. 신칸센이 개통되기 전까지는 반나절이 걸리던 동경-오사카 구간이 2시간 30분 정도로 당겨졌다. 의순 씨가 내 지도교수에게 말한 유통혁명이 생각나서 현지에게 숙모 자랑을 조금 하고, 내가 신칸센 개발에 참여했던 경험담을 의순 씨와 현지에게 이야기해 주었다.

자동제어를 가르치시는 후지이[藤井] 교수 밑에서 당시 신칸센 용으로 개발한 장치를 이용해 실제로 신칸센이 달릴 때 객실 진동 소음을 측정하는 실험을 했던 이야기를 들려주니 눈을 빛내며 신기한 듯이 귀를 기울였다.

"의순 씨, 지금 승차감 어떠세요?"

"아주 편안해요."

"흔들림은요?"

"못 느끼겠는데요?"

"귀는 어때요?"

"귀가 왜요? 아무렇지도 않은데요?"

"방금 제가 질문한 5가지는 열차가 고속으로 주행할 때 측정해야 할 5가지 상태의 변수, 즉 측정해야 할 데이터거든요. 일반 저속에서부터 고속, 초고속까지 주행상태를 측정하고 차량 안정도 설계수치와 실험수치가 얼마만큼 차이가 생기는지 데이터를 구해 공학적으로 해석하고 최적치를 찾아내는 작업을 해요.

각 과제마다 똑같은 실험을 반복하고 분석하죠. 그 결과를 바탕으로 상업용 주행속도가 산출되고 설계수치(設計數値)와의 차이는 다시 연구과제가 되는 거예요. 실험에서 문제가 제기된 건 소음문제였어요. 저속으로 달리면 괜찮은데 고속이 되자 차량에 없던 소음이 생기더라고요. 속도가 빨라지니 소음도 커지고 귀가 아파 견디기 어려울 정도였어요.

이론은 알고 있었는데 실제로 실험에서 신칸센 속도를 높여보니 저속에선 못 느끼던 귀의 통증이 정말로 생기더라고요. 최고속도 가까운 속도로 주행을 했더니 귀가 너무 아파서 속도를 줄이고 실험을 중단한 일도 있었어요. 이 문제를 해결하려고 차량 유리창을 완전 밀봉으로 만들게 되었죠.

흔들림에도 문제가 있었어요. 차량이 고속으로 주행하게 되면 연결된 차량과 차량 사이의 연결부에서 흔들림(전문용어로 '꼬리 흔들림')이 생겨 점차 이 흔들림이 차량 내로 영향을 주더라고요. 이것은 연결부의 완충 완화제(緩和劑) 개발과 궤도와 궤도 간의 사이[間]를 없애는 궤도 간의 연결부의 특수 재질 기술개발로 해결한 것입니다. 이 기술들을 종합적으로 조화시킨 철도기술이 오늘날 귀도 아프지 않고, 흔들림을 극소화해서 편안하고 어지럽지 않은 초고속 열차를 완성한 거랍니다. 바로 그 신칸센에 우리가 타고 있는 거예요."

94

내가 조금 생소할 수 있는 이야기를 하자, 의순 씨는 "My Fiancee Great, I am so Happy."라는 칭찬을 하고 현지는 아무 말 없이 숙모를 쳐다본다. 공대생이 어떤 식으로 실험을 하고 기술개발을 하고 실생활에 이용하는지 조금은 알게 되었을까?

실용화를 향한 실험 데이터가 기술적으로 종합 분석되고 신기술에 반영되어 개발된 상업용 고속전철이 신칸센이다. 최고속도 시속 280km/h이 개발된 해가 1964년. 바로 동경올림픽이 열리는 그해 10월 우리 결혼식 직전 달에 신칸센을 개통했다. 일본이 세계 최고의 철도기술을 선보인 시절이다. 신칸센은 그 후 54년이 지난 오늘날까지 기계결함에 의한 인명사고가 한 번도 일어나지 않았다.

의순 씨는 내 연구가 신기하고 자랑스러웠는지 무의식적으로 "My Fiancee Great, I am so Happy."라는 찬사를 외쳤는데 지금 생각해보니 그것이 바로 의순 씨의 힘이었다. 의순 씨는 내가 뭔가 신기하고 어려운 일에 도전하고 또 성공해낼 때마다 마치 남편이 세계 최고인 양 아낌없는 격려와 칭찬을 하던 사랑스런 아내였다.

아내는 나와 53년을 함께 하면서 어린아이처럼 칭찬을 바라는 남편의 비위를 얼마나 많이 맞춰주었을까. 정말 아내에게 감사하고 행복한 53년이었다.

이야기가 끝날 무렵 오사카 행 신칸센 열차가 신(新)오사카 역에 도착했다는 아나운서가 들렸다. 역에서 나와 우리는 누님이 계시는 이마사토[今里]로 가는 발걸음을 서둘렀다.

"누님 저희들 왔어요."

누님 집에 들어갔더니 누님은 동생과 약혼녀가 온다고 이것저것 신경 써서 실내를 꾸며놓고 우리를 기다리고 있었다. 누님은 우리의 인사를 살갑게 받았다. 누님은 특히 의순 씨의 인사를 받을 때 눈물을 흘리며, 의순 씨를 따뜻하게 안아주며 무언의 사랑을 표현했다. 나는 지금도 이 날의 광경이 맘속 깊이 새겨져 있다.

저녁 식사를 아홉 명의 식구가 모두 모여서 함께하는 기쁨은 이루 말할 수 없었다. 결혼식 행사의 절정이라고 할 수 있다. 누님과 자형을 비롯하여 9명의 축하 인사를 얼마나 받았던지, 이때 의순 씨는 가족들의 더없는 환대에 무척 고무되는 듯했다.

이때의 광경은 만일 내가 의순 씨보다 먼저 하늘나라로 떠났으면, 의순 씨가 그 장면을 지금의 나보다 훨씬 더 감동적으로 묘사했을 텐데, 하는 생각이 든다. 의순 씨는 문장력이 뛰어났기 때문에 왠지 그랬을 것 같다.

식사를 마치고 우리는 고사카[小坂]에서 개업의를 하고 계신 다나카[田中] 씨 내외를 만나서 인사를 하고 다시 누님 집으로 돌아왔다. 다나카 씨 내외는 내일 우리 결혼식에서 이것저것 우리를 챙겨주시기로 돼 있었다.

결혼식 전날 조카와 공중목욕탕에 간 의순 씨

현지(賢枝)는 늘 다니던 동네 공중탕에 숙모를 모시고 갔다. 그런데 여기서 그만 의순 씨를 화나고 당황(唐慌)하게 하는 일이 있었다.

일본의 대중목욕탕을 들어가 보면 넓은 방을 두 개로 나누어 두꺼운 나무 합판으로 중간 벽을 세우고 입구 중앙의 높은 의자에 관리인이 앉아서 요금을 받고 있다. 관리인은 그 의자에 앉아 좌우의 탈의실, 즉 남자와 여자 탈의실 양쪽을 지켜보는 게 보통이다. 일본인은 그냥 그러려니 하고 관리인 의자에 남자든 여자든 누가 앉아 있어도 전혀 신경을 쓰지 않는다. 심지어 탈의를 한 알몸 상태로 관리인에게 가서 용건을 말하거나 뭔가 요구하기도 한다.

'네 몸에 갖고 있는 것을 나도 갖고 있는 것뿐인데…'라고 하는 성(性)에 대한 생각이 한국과는 많이 다르기 때문이다.

어쩌다 탈의실이나 욕실에서 일이 생기면 관리인은 의자에서 내려와 남녀 탈의실은 물론이고 욕실까지 성큼성큼 들어가기도 한다. 그게 지극히 평범한 일본 서민의 목욕탕 문화다.

그러고 보면 일본의 이런 목욕탕 풍습의 경우, 애도[江戶] 시대까지만 해도 남녀 구분 없이 탕을 이용했다는 기록도 있다. 명치유신 이후로 남녀의 탕을 갈라놓았다는 것이다. 그러니 남녀가 따로 탕을 사용하는 것은 상당히 선진화한 상태라고 볼 수 있다.

여하튼 성에 대한 도덕관이 생기고, 서구에서 들어온 기독교의 영향이라고도 할 수 있다. 그러나 아직까지 일본인은 부부가 함께 목욕하는 일도 많다.

이런 일본의 대중탕 문화를 알 길이 없는 의순 씨는 조카랑 목욕탕에 가서 몹시 당황하고 말았던 것이다.

"삼촌, 숙모님 너무 재밌었어요!"

"뭐가, 뭐가 그렇게 재밌었는데?"

조카는 웃으며 말했다.

"숙모가 탈의실에서 옷 벗을 생각을 안 하고 그냥 계속 떨고 계시기에 '어디 아프세요, 숙모? 왜 그러세요?' 하고 물었더니 '저기에 남자가 앉아서 보고 있는데 어떻게 옷을 벗느냐?'고 하시더라고요."

모르는 남자 앞에서 옷을 벗는다는 것은 꿈에서도 생각하지 못할

의순 씨로서는 난생처음 당하는 수치스러운 경험이었을 것이다.

"그래서 숙모는 어떻게 했어?"

"남자가 보지 못하도록 제가 숙모를 가려 드려서 재빨리 옷을 벗고 들어가 목욕은 대충하고 나오셨대요."

이 이야기를 듣고 의순 씨에게 갔더니 조금 격앙된 목소리로 나를 쳐다보며 화가 잔뜩 난 목소리로 말했다.

"일본인들은 쌍놈 같아요. 아니 어떻게 선진국 목욕문화가 그럴 수 있어요!"

"전부 다 그렇지는 않아요. 차츰 알게 될 거에요. 미안해요."

나는 일단 의순 씨의 노여움을 달래려고 애썼다. 사실 의순 씨가 무엇 때문에 그런지 나는 잘 알고 있었다.

"오늘 경험은 일본에 와봐야 볼 수 있는 특이한 견문이라고 생각해 주세요."

이렇게 이야기하며 의순 씨를 달랬다.

일본은 성(性) 문화가 발달한 나라다.

공중변소 낙서를 보면 특히 서민문화 중에서 성화(性畵)가 매우 발달한 것을 알 수 있다. 일본 에도시대 풍속화 우키요에(浮世繪)를 봐도 이해할 수 있다.

그러니 남녀유별이 생활화된 한국의 유교문화 속에서 정숙함을 미덕으로 생각해왔던 의순 씨가 모욕당하는 기분이 든 것은 당연하다. 낯선 남자가 지켜보니 시간을 끌다가 조카가 가려주자 간신히 탈의를 하고 들어가 목욕은 하는 둥 마는 둥 하고 온 것이다.

나는 어린 시절 어머니의 손을 잡고 대중탕을 다녀서인지 목욕탕은 원래 그러려니 하고 있었다. 일제 때는 한국 대중탕도 비슷했다.

나의 개인적인 의견이지만 일본의 서민 목욕문화는 무사(武士)문화의 잔여상(殘餘像)이라 생각한다.

6일째 되는 날 토요일 11월 8일-結婚하다

새벽같이 일어났다. 푸르고 맑은 가을 하늘이었다.

누님을 비롯하여 가족 모두 결혼식 준비로 다망하였다. 우리는 모두 사돈이 경영하는 예식장으로 갔다. 예식장은 이미 결혼식 준비가 되어 있었고 주례를 맡아주실 중학생 시절 은사님인 김봉현 선생님 내외, 다나까 상 내외, 동경에서 온 김덕주 군, 이응선 군 등 많은 친구들이 모여 있었다.

결혼식은 오사카에서 회사를 차려 사장이 된 소학교 친구 한동철 군의 사회로 시작되었다. 일본식 다다미 위에 깔아 놓은 빨간 융단 위를 걸어서 우리는 주례 앞으로 갔다. 그런데 결혼식을 진행하는 도중에 신부가 우는 바람에 분위기가 좀 어수선해졌다. 신부 옆에 서 있던 마유미(眞由美) 씨가 신부의 눈물을 닦아주며 식은 끝났다.

나중에 의순 씨에게 "결혼식 때 왜 울었어요?" 하고 물으니 "주례 선생님의 주례사를 듣다보니 왜 내가 저런 좌익인사의 주례사를 들으며 혼례를 치르고 있나, 그게 너무 슬퍼서 눈물이 저절로 나왔어요." 하는 것이었다.

나는 아차 싶었다. 심려 깊지 못한 나를 자책하며 아내에게 미안한 생각이 들었다. 아내는 6.25 때 공산당 패거리에 의해 부모님을 잃었는데 결혼식에서 그때 그 일을 상기시키는 좌익인사에게 혼례

축사를 맡기다니…. 좌익인 그에게 주례를 부탁한 나 자신의 사려 (思慮) 없음을 후회했다. 좌익인사는 아무 데서나 자신의 이데올로 기만을 진리라 생각하며, 무신경하고 독선적인 면이 있다. 남이 알 아주지 않는 자기만의 독선이다.

주례를 맡아주신 분은 4.3 제주 사건 때 일본으로 밀항한 중학교 시절 역사 선생님이었다. 일본에서 공부하다가 해방이 되어 조국에 돌아와 교편생활에서도 진보적인 사고를 하고 있었는지는 모르나, 일본선 조총련과 관계있는 지식인으로 통했다. 조총련 관련 서적 도 출판하고, 제주 방언(지방 사투리) 연구 외에 제주 4.3 사건을 다 룬 저서도 있다.

그런 성향을 알게 되자 나는 그 선생님과 거리를 두게 되었다.

당시 일본에 와 있던 제주도 고향 사람들은 정치적으로 좌우를 가리지 않고 의견 차이가 있어 서로 논쟁하는 일은 있었으나 그리 심각하게 생각하지 않았던 게 보통이다.

결혼식과 축하연 식사가 끝나서 모두들 집으로 돌아가고 우리도 누님 집으로 돌아가려고 하는데, 주변에서는 왜 신혼여행을 가지 않으냐고 성화를 부렸다. 대다수의 의견에 밀려 우리는 다나까 의 사의 차로 짧게라도 신혼 드라이브를 하게 되었다.

이왕이면 교토[京都]의 '미야꼬[都] 호텔'에 가보기로 하였다. 그 러나 저녁 무렵 호텔에 도착하니 예약을 하지 않아서 방이 없다고 거절당했다. 하는 수 없이 우리는 다시 오사카로 차를 돌려 오사카 의 괜찮은 호텔이란 호텔은 전부 찾아서 돌아다녔다. 그러다보니 어느새 저녁 10시를 넘었다. 가뜩이나 운전도 서툰 다나까 씨는 오 사카 역 근처에서 호텔을 찾느라 이 골목 저 골목을 헤매고 다녔다. 일방통행 길로 들어갔다가 다시 돌아서 나오기를 반복하며 호텔을 찾다보니 자정이 가까워졌다. 미도스지[御堂筋] 쪽 큰길로 나와 길가에 있는 Grand hotel에 들어가 한밤중에 간신히 방을 잡고 체크인을 하고 나서 다나까 씨 내외와 헤어졌다.

오사카-교토[京都] 왕복 거리만 약 100km, 오사카 도내에서 호텔을 찾느라 헤맨 킬로수는 헤아릴 수 없다. 겨우 미도수지[御堂筋] 대로변에 있는 그랜드호텔(Grand hotel)에서 빈 방을 찾아 들어가니 시간이 자정을 넘어 있었다.

실내로 들어가 샤워를 하고 나오려다 보니 의순 씨는 기도를 하고 있었다.

아마도 하나님, 그리고 어머니, 아버지께 기도하고 있는지도 모른다는 생각이 들어 기도가 끝나기를 기다렸다가 욕실에서 나왔다.

이어 의순 씨가 욕실에 들어간 사이에, 나는 우리의 결혼이 (의순 씨의 이야기를 빌리자면) 주님이 맺어준 결혼이었다는 생각에 무릎을 꿇은 다음 양손을 가슴에 대고 기도를 하였다.

"하나님 나는 오늘 이 밤을 믿습니다.
난생 한 번도 해보지 못한 이 기도를 믿습니다.
오늘밤에 생긴 모든 것은 하나님의 은총으로 믿고
나는 나의 경건(敬虔)한 마음과 나의 자유의사로
이 생명을 다해 그녀를 책임질 것입니다."

그렇게 우리는 정식 부부가 되었다.

다음날은 동포가 많이 사는 곳, 쓰루하시[鶴橋] 시장에 들러 누님께 드릴 선물을 산 다음 누님 댁으로 들어갔다. 행여 누님이 슬퍼할까 봐 어저께 고생스러웠던 우리의 신혼여행 해프닝 이야기는 그만 두고 식구들과 이런저런 이야기를 하며 하루를 지냈다.

11월 10일 월요일 동경으로 돌아가다

오후에 있을 연구실 세미나에 늦지 않도록 우리는 서둘렀다. 누님 집에서 신(新)오사카 역까지 여유 있게 가려면 2시간 전에는 나가야 한다. 우리는 도쿄 행 9시 신칸센을 타기로 하고 누님 댁에서 7시에 출발했다. 반갑게 맞아주고 큰일을 치르는 데 도와준 식구들과 이별을 하고 우리는 동네 긴데쓰[近鐵]선(線) 이마사도[今里]역(驛)으로 서둘렀다. 쓰루하시[鶴橋]역(驛)에서 국철로 갈아타고 신오사카 역으로 가야 했다. 예정대로 우리는 9시 신칸센을 탔고 무사히 도쿄에 도착했다.

간다[神田]역(驛)에서 택시를 타고 동경대 정문 입구에서 내린 다음 아내에게 정문 앞 커피숍에서 기다리라고 하고, 나는 서둘러 세미나실로 들어갔다. 언제나 하는 세미나라 특별한 일은 없었다. 연구학습이 끝나고 커피숍에 가보니 아내는 책을 읽으며 조용히 나를 기다리고 있었다. 언어도 자유롭지 못한 낯선 땅에서 얼마나 지루했을까. 세미나를 마치고 돌아온 나를 반기던 그녀의 모습은 나만 기억하는 그녀의 사랑스런 모습이다. 커피숍을 나와서 우리는 도기와다이[常盤臺]의 새 살림집으로 향했다.

도기와다이 역에서 내린 우리는 근처 슈퍼에 들러 간단히 장을 보고 집으로 걸어갔다. 우리 집 계단이 보이자 나는 짐을 땅에 내려 놓고 아내를 안고 계단을 올라갔다. 그녀를 현관에 내려주고 다시 밑으로 내려가 장본 물건을 가지고 올라갔다.

생각해보니 우리 신혼여행은 오사카에서 도쿄까지 왕복이 전부였다. 그리고 신혼여행 중 찾아간 곳이라고는 1차로 동경대 정문 앞 커피숍, 이어 숙소 도기와다이로 가는 길에 있는 상가가 전부였다. 그곳에서 저녁거리를 사서 셋집으로 향하는 행로가 우리의 신혼여행이었다.

평화롭던 어느 날 아내는 경주에서 열린 YWCA 국제회의에서 돌아오던 길에 교통사고를 당했다.

아내는 병원 응급실에서 회복을 기다리며 40여 일을 입원해 있다가 하늘나라로 떠났는데 내 사정을 알게 된 친구 조학연 군이 미국에 사는 자기 대학 동기가 미국에서 상처하고 아내의 유골을 갖고 와 신혼 여행지였던 강릉에 가서 바다에 뿌렸다는 이야기를 e-mail로 보내왔다. 그 글에 대한 답장이 아래의 글이다.

아내가 죽으면 나의 신혼 여행지는 어디일까?

집사람의 병상이 답보입니다. 일진일퇴라 할까요.
오늘날 과학기술의 본질이 복잡비선형이고 보면
집사람의 병상도 자연현상이라 할 수 있겠지요.
자연현상은 발산을 하든가, 아니면 수렴을 하는데
그 Singularity 지점이 보이지 않아
어디쯤인지 알 수 없습니다. 하나님의 소관이겠지요.

이따금 closed system에 갇혀 있어 오늘 새벽처럼
 정신의 광란을 느끼는 순간이 있습니다.
이러다 정신에 이상이 생기지 않았으면 합니다.
미국 친구 분의 이야기도 인생 만년의 한 선택이겠지요.
그래도 찾아갈 곳이 있어서 행복한 분입니다.
나는 외지, 가난한 유학생 시대에 결혼을 하여
신혼여행을 해보지 못해서 추억의 장소도 없네요.
학교 정문 앞 커피점에서 수업이 끝날 때까지
아내가 기다려주었는데, 그 커피점이 추억의 장소이겠네요,
아직도 그 장소에 그 커피점이 있는지,
50여 년 전 일이라 지금은 없겠지요.
임자 없는 영혼이 하늘에서 미아가 되어 버릴까 봐
가면 같이 가야겠네요.

이것이 아직도 아내에 대한 나의 심정이다.

결혼 후 첫 등교 11월 12일 화요일

상쾌한 아침이다. 아내가 차려준 아침밥을 먹고 학교로 갔다.
실험실에서 재료 강도 검사데이터를 보며 전이론(轉移論)을 읽
다보니 어느새 낮 시간이 되었다. 구내식당에 가서 덕주 군과 같이
점심을 먹었다. 오사카까지 가서 결혼식에 참석해준 것에 대한 감
사를 표하며 덕주 군의 결혼식 준비는 어떻게 되어 가는지 물었다.

덕주 군은 결혼해서 미국으로 들어가는데 수속이 늦어져서 자신이 먼저 가고 신부 갑순 씨를 나중에 불러야 할 것 같다는 이야기를 듣다보니 점심시간이 후딱 지나가 버렸다. 덕주 군과 헤어져 연구실로 돌아가 의자에 앉았는데 왠지 모르게 불편하다.

'일어도 모르는 아내가 지금쯤 혼자 집에서 뭘 하고 있을까?'

너무 궁금해 그대로 일어나 집으로 향했다. 내 집이지만 행여 놀랄까 싶어 노크를 하고 들어가 보니 아내는 집안 정리를 하고 있었다.

"왜 이리 빨리 돌아왔어요?"

"당신이 궁금해서 참을 수가 없었어요."

아내의 밝은 모습을 보니 마음이 편해졌다.

아내의 집안 정리를 거들며 그날 저녁을 보냈다.

다음 날, 친구들이 술을 들고 예고 없이 신혼집에 쳐들어왔다.

서로 반기며 음식상을 차려놓고 술은 마시고 있었을 때다. 아내는 내 옆에 앉아 있고 우리는 서로 이야기를 나누고 있었는데 친구 한 놈이 신부가 따라주는 술을 마시고 싶다며 아내에게 술 한 잔 따라달라고 부탁했다.

그런데 아내가 "저는 가정주부지 술 따라 주는 술집 작부가 아니에요." 하며 술 따르기를 단호하게 거절하는 것이었다. 일본과 한국의 문화 차이로 빚어진 해프닝이었다.

생각해보니 아내와 나는 식생활의 차이도 많았다. 학교에서 돌아와 보니 아내는 나를 위해 맛있는 스키야키(일본식 전골)를 만들고 있었다. 식탁이 차려지고 "자! 듭시다." 하고 먹으려는데 아내가 젓가락을 움직이지 않고 가만히 있는 것이었다. "왜 같이 안 먹어요?" 하고 묻자 "저는 고기를 안 먹어요. 맛있게 많이 잡수세요."라고 하는 것이었다.

여담이지만 나는 피부에 가려움증이 있어 고생을 많이 했다. 그런 내가 아내와 53년을 같이 살다보니 피부를 긁는 일이 거의 사라졌다. 이를 눈치 챈 아내는 식사 때 야채를 많이 먹게 한 자기 덕분이라고 생전에 자랑을 하고는 했다. 정말이다. 아내 덕에 초식 생활에 익숙해진 지금의 나는 도리어 고기 먹기가 부담스러울 정도다.

11월 14일 결혼 후 처음 음악회에 가다

일찌감치 연구실에서 나와 아내를 데리러 집으로 왔다. 언제나 밝은 미소로 나를 반기는 아내. 날 보더니 기뻐한다. 외출복으로 갈아입고 우에노[上野]공원에 있는 '문화회관'을 향해 떠났다. 당시 우에노문화회관(上野文化會館)은 우에노 공원 안에 신축된 유일한 최신형 음악 공연장이었다. 여기서 영국의 London Symphony Orchestra의 연주회가 열렸다. 우리는 우에노 역 공원 쪽 출구에서 내렸다. 출구에는 우리처럼 내외 아니면 자기 짝을 기다리는 남녀들과 커플로 붐비고 있었다. 공원 앞은 음악회 분위기로 후끈 달아올라 있었다.

나는 아내가 인파 속에서 미아가 될까 봐 아내의 손을 꼭 붙잡고 회관 쪽으로 걸어갔다. 공연장 입구도 사람들로 가득했다. 예매한 표를 내고 들어가니 실내는 이미 관중들이 자리를 잡고 있었다. 친절한 안내원이 우리를 지정좌석으로 안내해 주었다. 자리는 A급이라 아주 마음에 들었다. 자리에 앉아 나는 다시 아내의 손을 잡았다.

여기가 마치 우리의 결혼을 축하 해주는 축하연(祝賀宴) 자리 같다는 기분이 들었다.

공연 시작을 알리는 종이 울린다. 공연장이 조용해진다. 오케스트라 지휘자 이스트반 케르테스(Istvan Kertesz)의 모습이 보이자 우렁찬 박수 소리가 나왔다. 박수가 그치자 마치 빙판을 미끄러지듯 음률이 흘러나왔다.

베토벤(Beethoven)의 <에그몬트(Egmont) overture op.84> 곡이었다. 우리가 좋아하는 곡이다. 이곡은 <코리올란(Coriolan)>, <레오노레(Leonore) no.3>와 함께 베토벤의 서곡 중에서 가장 연주가 많이 되는 곡이다. 에그몬트는 16세기 네덜란드의 역사 속 인물이다. 그 사실에 따라 괴테(Geothe)가 5막의 비극을 쓰고 있다.

16세기 네덜란드 Flandre의 영주 에그몬트는 당시 스페인의 치하에 있던 네덜란드의 독립운동 지도자였다. 스페인 당국에 잡혀 사형선거를 받고 처형당하게 되지만 그는 조국의 독립을 믿으며 처형된다. 그를 구하려던 애인 Clärchens도 힘이 닿지 않아 결국 음독자살을 한다는 비극의 이야기다. 이 스토리를 작곡한 사람은 Beethoven, 그의 <Egmont overture op.84>이다. 이래서 우리 둘은 이 곡을 좋아했는지도 모른다.

이어 엘가(Elgar)의 <Introduction and Allegro op.47>이 연주된다. 이 곡은 1905년에 작곡된 곡으로 이 시기는 엘가에게 영광의 시기였다. 당시 그가 작곡한 행진곡 <위풍당당(威風堂々)>의 대성공으로 왕실에서 기사(knight) 칭호를 받은 시기였다. 이어 Mozart <Horn concerto no..2 in E flat major k417> 감미로운 음률이 선을 보인다. 왠지 신혼 기분이 드는 곡이었다.

이 곡이 끝나자 쇼스타비치(Shostakovich) <symphony no.5

op47> 반체제 음악이 흐른다. "정치가 예술에 개입하는 것이 아니라 예술이 정치를 움직이고 사회를 움직인다."는 당시 소련 연방국의 공산 치하를 비판하는 음악이었다.

이 음악이 끝나자, 오늘 음악회의 finale 곡 스트라빈스키 (Stravinsky)의 <Festival of Spring>이 연주됐다. 이 곡은 이교도의 festival을 테마로 하고 있다. '신에게 소녀를 산 재물로 바친다.'는 스토리이지만, 불협화음과 복잡한 음률로 채워진 곡이다. 지금까지 볼 수 없었던 평면적인 춤을 그린 음악이다. 이 곡은 진정한 화음은 잡음 속에 있다는 스트라빈스키의 음악에 대한 철학이 담겨 있어 현대 클래식의 대표작이라고 평가받는 음악이다. 이 음률은 현재 디즈니랜드의 주제곡이 되었다.

음악회가 끝나자 우리는 무언가에 홀린 기분이었다. 이때 우리가 느낀 행복은 우리 부부만의 비밀이다.

처음 회사 아르바이트 가던 날-토요일

아침 9시까지 출근하려면 새벽같이 일어나야 했다.

동경에서 동북전철을 타고 고시가야[越谷]에서 내려 다시 버스로 요시카와[吉川]까지 가야 한다. 전철을 3번 갈아타고 버스로 회사까지 가는 데 3시간이 걸렸다. 아내가 정시에 깨워준 덕분으로 회사에는 제 시간에 출근할 수 있었다.

이 회사는 교포가 경영하는 흥아공업(興亞工業)이라는 중소기업으로 동경가스와 하야가와전기(주)의 가스기기를 만들어 납품하는 회사다. 그 외 친(親)회사가 고안한 기구를 이 회사의 제조기술로 만드는 일, 이곳 자회사에서 개발한 것을 친(親)회사에서 심사하고 제품이 친(親)회사 품질기준에 맞으면 상품으로 시판하는 등 비교적 자사제품 개발에 힘을 쏟는 회사였다.

내가 하는 일은 후자다. 이 회사가 개발한 제품이 친(親)회사 품평회에서 인정을 받으면 회사의 특허 로열티를 받을 수 있어 단순 제조 납품보다 수익성이 높았다.

첫 출근한 날 미나미 기시로[南 吉之郎] 사장은 나를 직원들에게 소개하고 연구개발실 실장으로 임명했다. 개발실에는 직원이 2명 있었는데 일주일마다 그가 연구개발한 작업을 봐주고 내가 생각해낸 신제품 개발하는 일을 돕는 데 대한 업무지시를 하고 이것을 확인하는 일이 내가 하는 업무의 대부분이었다.

회사에서는 동경대 출신 학사님이 오셨다고, 나를 보면 모두들 인사를 깍듯이 해주니 몸 둘 바를 모르겠다. 하루는 경력 20여 년인 선반공 기술자 분이 연구실에 도움을 청해 왔다. 선반 가공을 하는데 이송기구(feed)가 움직이질 않아서 작업을 못하고 있다는 것이다. 기술자 분을 따라 현장에 가보니 오래된 선반이라 좌금(座金)이 닳아서 헛돌고 있었다. 새것으로 좌금을 바꾸어 다시 작업을 해보시라 했더니 기계가 제대로 돌아갔다. 날보고 역시 대학 나온 사람은 다르다며 치켜세운다. 별것도 아니었는데 그 이야기가 알려지자 회사에선 나를 알아보는 사람이 많아졌다.

집에 와서 아내에게 회사에서 있었던 일을 이야기하니 아내는 매우 기뻐했다. 나는 어린애마냥 아내에게 칭찬을 듣는 게 좋아서 앞으로 더 많이 아내를 기쁘게 해야겠다고 다짐했다.

회사 출퇴근에 6시간이나 소요되니 비록 주 2일 출근이지만 몸이 힘들지 않을 수가 없었다. 일요일도 없이 왕복 6시간 출근을 지속하는 것은 무리라는 생각이 들었다. 이런 사정을 알아차린 사장님은 나에게 중고차를 사라며 십만 엔을 주셨다. 나는 이 돈으로 연구실 동료가 타고 다니던 공랭(空冷)식 퍼블리카 중고차를 7만 엔에 양도받았다.

해가 바뀌고 회사 앞 길 건너 맞은편에 사택 4채가 완성돼, 나는 사택으로 이사를 하게 되었다. 아내가 좋아하는 오디오 세트와 클래식 LP, 그리고 저축해둔 돈을 합쳐, 긴자 야마하(YAMAHA) 본점에 가서 모자란 돈은 할부로 갚기로 하고 피아노를 사서 사택에 배달시켰다. 아내가 혼자 있을 때 피아노를 치며 시간을 보내길 바라는 작은 배려였다.

사택은 방 두 개에 화장실과 부엌이 달린 일층집이다. 4채 중 우리가 입주 1번이었다. 내 옆엔 후구다(富田) 동북대학 출신 상무님이 이사를 오셨고 덕분에 아내가 일어를 배우는 데 도움을 많이 받을 수 있었다.

좋은 일이 있으면 나쁜 일도 있듯, 아내가 새벽에 일어나야 할 일은 없어졌지만 그래도 내가 학교 가는 날은 새벽같이 일어나 학교 가는 나에게 신경을 써 주었다. 출근 시간에 길이 막히면 자동차로 동경대까지 2~3시간이 걸렸다. 그래서 출퇴근 시간대를 피해 아침 일찍 6시면 차를 몰고 학교로 가곤 했다. 그 덕분에 나는 언제나 제일 먼저 연구실에 출근하는 연구생이었다. 그 시절은 일본도 경제가 어려울 때라 한국 학생들 사이에서는 차를 몰고 등교하는 내가 화제가 된 모양이었다. 그래서인지 '나도 기계과에 들어갔으면 좋았을 텐데….'라는 소리가 가끔 들렸다.

사택으로 이사를 온 후 아내는 모자란 수면을 주말에 보충했다.

회사 옆에는 비포장도로가 있고 그 길 건너편에는 요시가와[吉川] 하천(河川)이 흐른다. 항상 물이 흘러서 휴일이면 낚시꾼들이 모이곤 했다.

그런데 사시사철, 비포장도로의 먼지를 뒤집어쓰면서도 사택 입구 길가에 서서 남편의 귀가를 기다리는 아내가 있었다. 봄이면 꽃이 피는 강변의 봄바람에 휘날린 꽃잎, 여름이면 날아다니는 모기를 쫓고, 가을이면 떨어지는 낙엽을 맞으며, 또 강바람에 굴러가는 낙엽을 바라보며 아내는 나를 기다리고 있었다.

여전히 낯선 외국어인 일본어와 씨름을 하고 지내며 남편의 퇴근을 기다리는 신혼생활이었다.

차가운 강바람이 몰아치는 겨울에도 춥다는 말 한 마디 없이 남편 자동차의 라이트를 보면 반갑게 맞아주는 아내의 모습이 아직도 내 눈에 선하다. 눈시울이 뜨거워진다. 그런 사시사철이 우리의 신혼생활이었다. 여기서 아내는 나와 1년 3개월을 같이 지냈다.

이런 생활 속에서 하나님은 우리에게 첫 아이를 주셨다. 동네 시골병원을 정기적으로 다니다가 산달이 차자 나는 아내의 병원을 동경대학 산부인과로 옮겼다.

전국 각처에서 병원을 찾는 환자 중에서도 아내는 유별났다. 의사와 일어로 대화가 되지 않아 아내는 영어로 말했다. 다행히도 미국에 유학을 다녀온 의사를 만나 그 의사와 영어로 의사소통을 했다. 그리고 그 의사의 부인과도 친구가 되어 친하게 지냈다. 그 시절에 의사 부인과 친하게 지내며 고상한 일본어 표현을 많이 배운 것 같기도 하다.

나는 아내가 정기검사를 받으러 병원에 가는 날이면 아내의 일정에 맞춰 학교에서 일찍 돌아와 아내를 데리고 병원에 갔다. 진찰이 끝나면 가끔 둘이서 외식도 했다.

산달이 가까워지자 아내는 신경이 조금 날카로워졌다. 외국 땅에서 경험하는 첫 출산이니 오죽했을까. 이해도 간다.

첫 아이가 태어나다

1965년 9월 10일 혹시나 하고 학교에서 서둘러 집에 돌아와 보니 아내는 막 진통을 시작하고 있었다. 아내를 차에 태우고 급히 병원으로 갔다. 아내를 병원에 입원시키고 보니 해는 이미 저물고 사방엔 어둠이 깔려 있었다.

집으로 돌아오려고 시동을 걸었는데 라이트에 불이 안 들어왔다. 그러나 그날은 음력 보름이라 다행히도 둥글고 밝은 달이 떠 있었다. 별들이 반짝이는 밤, 마치 내가 더 밝다고 경쟁이라도 하듯 맑은 가을 하늘을 환히 비추는 달과 별 덕분에 집으로 무사히 돌아왔다. 라이트도 들어오지 않는 차를 몰고 아무런 탈 없이 집에 올 수 있었다.

새벽에 전화소리가 울려 자다 말고 벌떡 일어났다. 아내가 남자아이를 무사히 출산했다는 전화였다. 망가진 라이트 전구를 바꿔 끼우고 황급히 병원으로 달려갔다. 나는 면회시간을 알아보지도 않고 무턱대고 병실에 들어갔다. 당직 간호사들이 내 곁으로 모여 축하를 해준다.

"李さんそっくりの　お男の子よ、しゅうさい　ね！　多分 李さんに似て秀才ね! (李선생 꼭 닮은 男子아이에요. 수재(秀才)일 거예요! 아마도 아버지를 닮아 똑똑한 수재이겠죠!)"

112

아내 곁으로 다가가자, 밤새 아내 곁에서 출산을 지켜본 간호사는 "奥さんおうげさね(부인이 겁이 많으세요.)"라고 놀리는 것이었다. 이후 아내는 간호사들과도 친해졌다. 아내가 영어를 쓰는 것에 간호사들은 호기심을 보였다. 나는 아내에게 갈아입을 내의를 가져다주고, 입던 옷과 빨랫감을 받아왔다. 손빨래를 해야 할 것만 빼고 나머지는 회사 세탁기로 빨았다.

다음날부터 나는 아내와 아들이 보고 싶으면 병원 뒷문으로 들어가 아내를 만났다. 출생신고를 하려니 아들의 이름을 지어야 한다. 아들만큼은 나 같은 고생을 하지 않기를 바라는 마음이 컸다.

윤택할 윤(潤)에 좋은 일이 쌍으로 생기라는 의미로 길(吉)이 2개 들어 있는 한자 철(喆)을 뽑았다. 아들의 이름은 그렇게 해서 '윤철(潤喆)'이 되었다.

아내의 퇴원일이 다가오고 있었다.

그런데 수중에 아내를 퇴원시킬 현금이 없었다. 하는 수 없이 가정교사를 하는 집에다 선불을 부탁해 보기로 했다. 출산하고 3일이면 퇴원을 하는 게 보통인데 아내는 내가 돈을 구하러 다니는 동안 일주일이나 더 병원에 머물러야 했다. 그 사이에 아내를 좋아하는 간호사들이 생겼다. 퇴원할 때 특히 친해진 간호사 두 사람을 사택에 데려와 퇴원 축하연을 가지기도 했다. 아내는 가는 곳마다 인기가 있었다. 사람을 매혹시키는 뭔가가 있는 여인이었다.

아내가 병원에서 신세를 많이 진 간호사들에게 고마움을 표했다. 사택에 초대한 날 아내는 피아노를 치고 클래식을 들려줬다. 간호사들은 이 시골에서 젊은 한국인 커플을 처음 만나본 게 아닐까? 호기심과 호감으로 아내를 대하는 것이 느껴졌다.

방이 여의치 않아 아내는 초대한 간호사들과 안방에서 함께 잠을 잤다. 다음날 아내에게 개어놓은 세탁물을 건네주고 내가 처음으로 끓여본 미역국을 차려준 다음 간호사들을 차에 태우고 학교로 출근했다. 간호사들을 출근시간에 맞춰 병원 앞에 내려주고 나는 연구실에 들러 일을 보고 집으로 돌아왔다.

집에 들어오면서 "여보, 저 다녀왔어요."라고 하자 아내는 나를 반기며 맞아준다. "내 사랑 서방님 벌써 다녀오셨어요?"라고 웃으며 말하는 것 같다. 그런데 사실 고백을 하자면 아내는 그렇게 애교스러운 표현을 하지 않는다. 그녀와의 결혼생활 내내, 그녀의 생전 53년 동안 나는 아내에게서 이런 애교가 넘치는 인사를 받아본 기억이 없다. 꿈에서도 그런 적이 없다.

윤철이가 태어난 후부터 아내가 나를 '아빠'라고 부르는 일이 잦아졌다.

"당신이 끓여준 미역국 맛있었어요. 직접 끓이신 거예요?"

"물론이죠! 지금 나 아니면 누가 당신에게 미역국을 만들어 드리겠어요? 맛있다니 다행이에요. 그런데 국물을 돼지 뼈로 우려내서 더 맛이 있었나?"라고 하자 아내가 처음에는 화들짝 놀랐다가 이내 나보고 장난치지 말라고 정색을 했다. 나는 웃고 말았다. 고기를 안 먹는 아내에게 돼지 뼈를 우려내 미역국을 끓이는 남편이 과연 있을까 하고 생각하면서.

처음 끓여본 미역국은 회사 식당의 아주머니에게 만드는 법을 꼼꼼하게 물어보고 배워서 시도해본 것이었다.

오사카 누님의 신혼집 방문

윤철이의 탄생을 축하하고 직접 조카를 보고 싶다며 오사카에서 누님과 사촌누님이 찾아왔다. 600km나 떨어진 이곳 시골까지 산모(産母)에게 좋다는 미역 등을 가지고 찾아온 것이다. 집에 들어온 누님들은 신발을 벗자마자 윤철이를 보더니 예쁘다고 안아보려 했다. 그러자 아내가 이를 막아섰다.

"형님, 손부터 씻으셔야죠!" 하며 물이 담긴 대야와 수건을 들고 나온다. 누나는 아내를 보고 씁쓸하게 미소를 지은 다음 손을 씻고 나서 윤철이를 안아 보았다.

"아니, 이래봬도 내가 아이를 여섯씩 낳아 여태 죽이지 않고 잘 키우고 있는데…."

이 말을 들은 아내는 누나와 같이 웃고 있었다.

누님과 사촌누님까지 온 식구가 단란하게 저녁을 먹고 TV를 보다가 아내는 애를 재우기 전에 목욕을 시켜야 한다며 큰 대야에 물을 받아 윤철이를 씻기기 시작했다. 누님이 이를 보고, "윤철이 이리 줘. 내가 할게." 하고 도우려고 했다. 그런데 이번에도 아내가 누님에게 "손 안 씻으셨죠? 잠깐만요, 누님 손 씻을 물 좀 내올게요." 하는 것이었다.

그러자 누님은 "아니 됐어. 그냥 귀찮아서 나 안 할래."라고 말하며 들어가 버렸다. 아내는 누님의 서운한 마음도 모른 채 태연하게 윤철이를 계속 씻겼다. 애를 재우고 나서 우리의 대화 주제는 당연히 '손 씻기'가 됐다.

"애를 너무 깨끗하게 키우면 오히려 저항력이 약해져. 아이 만지기 전에 꼭 그렇게 매번 손을 씻어야 해?"

"형님, 신생아는 면역이 약하잖아요. 저는 애 만지기 전에 꼭 손을 씻고, 젖을 줄 때는 젖꼭지를 소독하고 나서 물려야 안심이 돼요."

과일을 들고 오면서 아내가 말했다.

그러자 누님은 "아이쿠 그래, 잘 키워. 요즘 젊은 사람들은 내가 애 키울 때랑 너무 다르네. 그래서 인간 수명이 점점 길어지는 건가?" 하며 과일을 입에 물고 한 마디 했다. 누님은 어린 나이에 엄마가 되어 책에 적힌 대로 아이를 키우려는 아내를 보며 이제는 숫제 나무라기보다는 웃음을 참지 못한다.

윤철이 탄생 이후 누나와 우리 가족이 함께 보낸 즐거운 시간이었다. 그런 일이 있고 얼마 후 누님은 남편을 따라 이북으로 건너갔다. 그때의 즐거웠던 시간이 누님과의 마지막 만남이 될 줄 누가 짐작이나 했을까!

'북한에 오면 잘 살게 된다. 모든 게 공짜다.'라는 선전에 넘어간 어리석은 자형 때문이었다. 옆에 있으면 한 번 물어보고 싶다.

'아니 자형, 세상에 그런 공짜가 어디 있습니까?'

아들과 함께한 닛코[日光] 구경

윤철이는 생후 100일이 지나니 방긋방긋 웃으며 우리가 거는 말에 곧잘 반응하는 귀여운 모습을 보였다. 더 추워지기 전에 '닛코[日光]'로 드라이브를 가자는 내 의견에 아내가 동의해 우리는 차로 드라이브를 가기로 했다. 염려하던 눈은 내리지 않았고 비교적 맑고 따뜻한 초겨울 날씨, 그래도 겨울을 코앞에 둔 추운 계절이니 담요로 윤철이를 잘 감싸고 우리도 겨울옷을 챙겨 입은 다음 드라이브를 떠났다.

초겨울 하늘이 가을 하늘처럼 어쩜 그리도 아름답던지! 우리가 오기만을 기다린 것처럼 초겨울의 추위를 이기고 나뭇가지에 매달려 있는 울긋불긋한 잎사귀들이 산들바람에 흔들리는 모습은 우리 식구의 첫 나들이를 두 팔 벌려 환영해주는 듯싶은 착각이 들게 했다.

나는 '혹시 지금 꿈에서 드라이브를 하고 있나?' 하는 생각이 들어 행복해하는 아내의 얼굴을 운전대 거울로 쳐다보고 또 보고 했다. 아들을 안고 있는 아내의 모습을 거울로 자꾸 확인하면서 뱀이 지나가는 것처럼 꼬불꼬불하고 험난한 산길을 지날 때였다.

순조롭게 달리던 자동차 엔진이 갑자기 멈춰 버렸다. 차가 그대로 서 버리는 것이었다. 나는 뒷좌석에 앉아 있는 아내에게 잠깐만 차에서 내려서 기다리라고 했다. 그러자 고갯길 아래의 절벽을 본 아내는 내리기를 거절하며 이렇게 말했다.

"싫어요. 죽어도 우리 셋이 같이 죽어요."

"아니, 지금 무슨 이야기를 하는 거예요? 염려 말아요. 당신이 내리면 차의 무게가 가벼워지니까 차를 돌리기가 편해서 그래요. 내리막길 관성을 이용해 엔진 시동을 걸고 다시 올라올게요! 그때까지만 잠깐 여기서 기다려줘요."

나는 아내를 설득했다. 그제야 아내는 아들을 안고 차에서 내렸다.

나는 핸들을 틀어 차를 내리막길로 돌렸다. 하행하는 차의 속도를 이용해 브레이크와 가속 페달을 미묘하게 조절하며 엔진에 시동을 걸려고 시도했다. 생각보다 시동은 쉽게 걸렸다. 차를 돌려 고갯길을 올라오자 아내는 불안이 해소되었는지 표정이 다시 밝아졌다.

아들과 아내를 뒷좌석에 태우고 계획한 관광 코스를 주행했다.

그 사건으로 아내는 나를 자동차 수리에 관해서도 박사급이라고 치켜세우고 내 운전 솜씨에 믿음을 갖게 되었다. 이로하(いろは) 고갯길[坂]은 표고(標高) 440m, 오르막길 20개, 내리막길 28개, 합계 48개의 커브(curve)가 있는 길이다.

제2 이로하 고갯길 도중에 설치된 명지평전망대(明智平展望臺)에서 보는 조망은 내 표현력을 뛰어넘을 정도였다. 거기서 제1전망대도 보였다.

닛코[日光]는 일본의 관광지 중에서도 단풍[紅葉]이 아름답기로 유명하다. 이곳 절경(絶景)은 최적의 드라이브 코스로도 알려져 있어 11월 3일 연휴에는 이곳의 단풍을 즐기러 일본의 각 지방에서도 사람들이 많이 찾아온다. 우리는 이로하 고갯길을 지나 닛코를 대표하는 경승지(景勝地) 주젠지[中禅寺]호(湖), 세계유산으로 등록된 닛코 토쇼궁[日光 東照宮]을 비롯해 일본의 3대 폭포 가운데 하나인 게곤노타키 폭포(けごんのたき : 華厳の滝) 등을 관광하고 무사히 집으로 돌아왔다.

아내의 밝은 미소를 볼 수 있어서 행복했던 첫 나들이였다. 어머니 품에 안겨 울지도 않는 아들 윤철이가 아빠를 쳐다보는 맑은 눈빛이 자기 엄마를 닮아 너무도 아름다웠다. 맑은 푸른 하늘처럼!

아들의 첫 나들이, 다카시마야 백화점에 가다

아들의 장난감을 사러 외출하기로 한 날이다. 한갓 장난감에 뭘 그리 유난을 떠느냐고 할 수도 있지만 핑계 김에 우리는 니혼바시[日本橋]에 있는 일본 최고의 백화점 다카시마야[高島屋] 백화점(百貨店)에 가보기로 했다. 주차장에 차를 세우고 백화점으로 들어갔다. 대리석 입구에 크고 고풍스러운 아치형 현관이 고딕 형(Gothic type) 건물임을 알려준다. 명치유신 시대 서양문물이 들어오면서 상징적으로 지어진 건물이다.

이 백화점 상품은 누구나 선호한다. 궁성(宮城)은 물론 일본의 내로라하는 가정에서는 모두 여기서 혼수(婚需)감을 마련한다. 품질을 믿을 수 있다고 여기기 때문이다.

나는 학창시절 이 백화점의 맞은편에 있는 마루젠[丸善] 서점에 자주 들렀지만 물건을 사러 백화점 안으로 들어가기는 처음이었다. 아내와 함께 아들을 안고 유아 코너로 들어가는데 점원들이 나와서 한 마디씩 한다.

"あ, 可愛い児! きれいな児ね!(아! 귀여운 애, 깨끗하고! 예쁜 애네!)"

경쟁하듯 아이를 만지고 안아본다. 점원들은 윤철이를 아기 그네에 앉혀 흔들어 주었다. 그러자 윤철이는 소리 내어 웃으며 아주 신나했다. 나는 그네가 맘에 들어 사고 싶어졌다.

그런데 아내는 이렇게 부피가 큰 걸 집안 어디에 두겠느냐며 나를 적극 말린다. 비오는 날은 집 안에 두어야겠지만 날씨가 좋으면 집 밖에 내놓으면 되지 않겠느냐며 아내를 설득했다. 조립식이라서 사용하는 데 문제는 없었다. 그밖에 윤철이가 갖고 놀 수 있는 장난감도 몇 개 더 고른 다음 백화점 식당가에 올라가 점심을 먹고 돌아온 기억이 지금도 생생하다.

아내가 귀국하던 날 1966년 1월 30일

1966년 1월 30일은 아내와 윤철이가 한국으로 돌아간 날이다.

새벽같이 일어나 가방을 챙겨 하네다 공항으로 출발했다. 도중에 신호위반으로 딱지를 떼고 공항에 도착했다. 공항에는 동경의대 교수 부인이 아내에게 송별인사를 하러 나와 있었다. 짧은 기간이었지만 서로 친하게 지냈는데 이렇게 아내와 헤어지는 것이 너무 아쉬웠나 보다. 인사를 나누다가 하얀 블라우스를 아내에게 건넸다. 아내는 어쩔 줄 모르며 미안해했다. 부인은 윤철이 머리를 쓰다듬으면서 뭔가 이야기를 했다. 참 정이 많은 부인이다.

아내가 탑승수속을 밟고 탑승구로 들어가는 것을 보고 교수 부인은 돌아갔다. 나는 공항 트랩에 올라 비행기가 이륙하는 것을 무심히 쳐다보다 비행기가 시계에서 사라지자 차를 몰고 요시카와 집으로 향했다.

돌아가는 도중에 교통순경이 차를 세웠다. 이유를 물으니 또 신호위반을 했다는 것이다. 두 번째 딱지를 떼고 다시 집으로 가는데 교통순경이 또다시 내 차를 세운다. 철로에서 일시 정지를 하지 않고 그냥 지나갔다는 것이다. 세 번째 딱지다. 아니 하루에 세 번씩이나 교통위반 딱지를 떼다니 도대체 난 무슨 생각을 하며 운전을 한 걸까? 모르겠다. 나로서도 생전 처음 경험하는 희한한 일인 것을.

가장으로서 가족을 책임진다는 게 뭔가, 그런 생각을 하다 보니 미래가 험난해 보이고 불안한 마음이 들었던 것일까.

공항에서의 아내 모습과 아무 것도 모르면서 천진난만하게 아빠에게 빠이빠이 손을 흔들며 떠난 아들을 생각하니 가슴이 먹먹해서 앞이 안 보였던 걸까. 눈물이 앞을 가렸나 보다. 이별의 슬픔이 사람을 무의식 속에 잠기게 한다는 경험을 처음으로 했다.

아내와 아들과 같이 살면서 앞으로 얼마나 내 인생에서 고달픈 딱지를 더 떼어야 할까를 생각하니 조금 막막한 생각이 들었다. 아래의 글은 아내가 일본을 떠나던 날 비행기 속에서 남편인 나에게 썼던 편지다.

1966년 1월 30일 12시 40분

아빠!

저는 비행기 속에서 점심식사를 했어요.

덕택에 이 엽서도 얻었답니다. 윤철이는 지금 젖을 먹고 유아 전용 bed에 누워서 기분 좋게 놀고 있어요. 마침 하급생 stewardess가 동승했는데 특별히 이렇게 좋은 앞자리에 제 seat를 마련하고 그 앞에 유철이 침대까지 만들어 주었답니다. 옆자리에는 어떤 할머님이 앉아 계시는데 가끔 윤철이를 안아 주시기도 합니다. 윤철이는 어딜 가나 무척 복이 많아요. 그래서 저는 힘들지 않게 서울까지 가고 있습니다.

오늘은 비행기가 연착이어서 아직도 40, 50분 더 있어야 도착한다고 하네요. 날씨도 아주 좋고 만사가 순조로우니 안심하세요. 그럼 아빠, またね!

love, love
의순 올림

1967년 1월 1일

사랑하는 윤철 엄마

귀여운 우리 아들과 당신이 고국으로 돌아간 지 어느새 1년이 되어 갑니다. 새해 첫날을 당신과 윤철이 없이 홀로 지내는 일이 이렇게 힘들 줄은 몰랐어요. 하는 일이 손에 잡히질 않고 쓸쓸한 마음이 듭니다. 처음 느끼는 마음이에요. 천진난만한 아들과 둘이서 새해를 맞게 된 당신의 마음도 조금 헤아려봅니다. 사랑합니다. 새해 복 많이 받아요.

내일은 우리가 함께 살 방법을 찾아서 친구 야마노베[山野辺] 군을 만나 의논해 봐야겠어요. 다시 한 번 더 소망합니다.

새해 복 많이 받으세요.
윤철 아빠

1년 3개월 만의 귀국

1년 3개월 동안 일본에서 신혼생활을 하던 아내는 체류연장 문제가 해결되지 않아 어쩔 수 없이 아들을 데리고 먼저 고국으로 돌아갔다. 나도 원점으로 돌아가 학업과 회사 아르바이트를 병행하며 매달 아내에게 생활비를 보냈다. 단조롭고 아무런 변화가 없으며, 큰 기쁨도 즐거움도 없는 일상이 이어졌다. 게다가 매일 귀엽게 자라고 있을 아들을 보지 못하는 것이 힘든 생활이었다.

일요일이면 임원들 골프 모임에도 따라가 제멋대로 터득한 자기류 골프도 치면서 그럭저럭 주말시간을 때우곤 했다. 그러다가 사장 아들 남주희 씨(경도대 대학원생)와도 친해져 내가 운전을 해서 친구들끼리 골프를 치러 가는 일도 있었다. 당연한 듯 그런 일상에 익숙해지고 있었는데, 우연히 내게 제안이 들어왔다.

김현옥 서울시장이 동경가스에 찾아와 서울 도시가스화 프로젝트에 전문가를 지원해 달라고 요청했던 것이다. 그런데 당시 동경가스는 가스 전문가를 보낼 상황이 아니었다. 대신 자회사 하청업체에서 일하고 있는 한국인 동경대학 대학원생인 나에게 그 기회가 돌아오게 되었다. 회사 사장을 통해 제안이 들어왔던 것이다.

회사 입장에선 서울에 도시가스가 생기게 되면 당연히 가스기구가 필요하게 될 것이고 그러면 한국에 가스기구회사 지사도 열 수 있지 않을까 하는 심산으로 나를 열심히 설득했다.

우선 파견 형태로 서울로 가면, 매달 월급을 한국으로 송금해 주겠다는 제안을 해왔다.

나는 무엇보다 아내와 아들이 너무 보고 싶어 제안을 받아들이기로 했다. 그리고 그 사실을 바로 그날 아내에게 편지로 적어 보냈다. 아내도 내 결정을 반겼다. 당시 일본의 대표적인 폴란드 회사인 '지요다가고[千代田化工]주식회사'에 다니는 절친한 벗 쓰쓰이 테쓰로[筒井哲郎]와 같이 동경가스회사 후도[風都] 상무를 만나 서울시장이 제안한 2만 세대용 도시가스 계획의 내용을 들었다. 나는 우리 회사가 소개한 자료를 검토하고 동경가스의 전문가에게 배워가면서 여러 자료를 뒤져 기획서류를 만들었다.

초안 검토가 끝나자 나는 이것을 들고 서울로 갔다. 1년 3개월 만에 드디어 서울에서 가족과 만나게 된 것이다.

공항에는 아내와 윤철이가 나를 마중 나와 있었다. 하얀 색에 까만 가로선이 질서정연한 슈트를 입고 넥타이를 맨 우리 아들이 아내의 손을 잡고 나를 기다리고 있었던 것이다.

1년 3개월 무렵 나와 헤어지고 또 다시 1년 3개월이 지났으니 이제 2살 하고 6개월 된 아들. 엄마를 닮아 뽀얀 피부의 아들과 재회하는 순간이었다.

"윤철아, 기다리던 아빠가 오셨네. 아빠보고 인사해야지."

윤철이가 나를 보고 인사를 한다.

"윤철아~!"

아들을 안으려고 하자 윤철이는 나를 밀어낸다. 그러더니 고개를 흔들며 엄마 곁으로 도망간다.

다시 안으려고 했더니 이번엔 울려고 한다. 아들의 머릿속에 아빠는 있었지만 아빠의 모습이 없었던 것이다.

우리는 아내가 예약한 '사보이 호텔'로 갔다. 방에 들어가 짐을 풀고 아들에게 장난감을 꺼내주니 좋아했다. 같이 장난감을 갖고 잘 놀다가도 내가 어머니 곁에 다가가면 갖고 놀던 장난감을 휙 던져 버리고 접근을 막아섰다. 어머니에 대한 기사도 정신이 투철했다. 우리 식구가 오랜만에 함께 밥을 먹는데 식탁 위에 올라가 울고 불고 심술을 부린다.

내가 엄마를 괴롭히는 사람이라고 생각하는 것 같았다. 윤철이 나이 두 살 반이었다. 어머니에 대한 본능적인 보호 행위였다. 이래서 세상 여자들은 자기 자식을 원하는 건지도 모르겠다.

한창 소설을 쓰고 있는데 미국에 사는 아들로부터 국제전화가 걸려왔다. 새벽 5시 반이다. "아버지, 저예요. 그냥 전화해 봤어요. 지금 비행기로 독일 뮌헨(munchen)에 가는 중이에요. 일주일 후에 서울 가는데 그때 찾아뵐게요."

이 국제전화는 정말로 텔레파시였다.

"그래, 출장 조심해서 다녀와라."

어머니가 가고 난 후에도 우리 아들은 아직 어린 시절의 기사도 역할을 그만두지 않았구나 하고 생각하니 눈물이 났다.

그는 아직도 어머니의 기사인가? 아니면 어머니를 위해 아버지의 기사가 되었나?

아들은 아버지의 직장생활 때문에 함께 외국엘 드나들다 보니 초등학교는 한국과 미국, 대학교는 미국에서 나오게 되었다. 좋은 직장에서 높은 직위까지 올라 세계를 무대로 활약하는 우리 아들, 어머니는 그런 사실도 모른 채 세상을 떠났다.

오늘날 아들의 멋있는 모습을 하늘나라에서 보고 있을까! 너무 아쉽다. 하염없는 눈물이 흐른다. 아내가 갑자기 세상을 떠나고 나니 모든 게 허무하다. 내 인생에 후회만 남은 기분이다. 인생에서 무엇이 중요한가? 아름다운 마음 하나면 족한데.

서울시청에 들러 배 산업국장, 연기호 연료과장을 만난 다음 서울시 도시가스 프로젝트를 도왔다. 1년 계약의 프로젝트를 마치고 일본으로 돌아가려던 때였다.

KIST를 방문하다

일본에서 알게 되어, 우리 약혼식 때 사회를 맡아준 성기수 박사가 새로 생긴 '한국과학기술연구소(KIST)'에서 근무하고 있어 그 친구에게 작별인사를 할 겸 만나게 되었다.

이왕 여기까지 왔으니 연구소 소장이나 한 번 만나보고 가라는 그의 권유에 소장실로 갔다. 최형섭 소장님을 만나 인사를 나눴다. 그가 나에게 서울에 일하러 오게 된 이유를 물었다. 나는 일본에서 공부하다가 서울로 오게 된 자초지종을 설명했다. 가족이 한국에 있는데 그러면 일본에는 왜 돌아가느냐고 묻기에 나는 박사논문을 마치러 간다고 말했다.

"논문은 여기서도 쓸 수 있어요." 하며 그는 그 자리에서 점심을 같이 먹자고 제안한다. 그러자 성기수 박사는 자기랑 점심약속이 먼저 되어 있었다며 나가자고 한다. 최 소장은 그럼 유치 과학자용 신축 사택 아파트라도 보고 가라며 나를 데리고 아파트 구경을 갔다.

최 소장은 과학자 처우 이야기를 하며 한국과학기술연구소에 입소하라고 권유하기 시작했다. 마음이 흔들렸다. 일본으로 돌아가면 가족과 떨어져 살아야 하는데 혼자 회사 사택에서 지내는 것도 그렇고 특히 내가 좋아서 하는 생활이 아니었다.

일단 집에 가서 아내와 상의하겠다고 약속하고 돌아왔다. 아내와 상의 끝에 나는 일본행을 포기하고 KIST에 입소하기로 마음을 정했다. 소장에게 수락의 뜻을 전하자 당장 그 다음날부터 일을 해 달라는 것이었다. 알고 보니 그 당시 부산시의 도시가스 용역 일이 있었다. KIST에 입소한 날이 5월 18일인데 출근하던 다음 날부터 부산에 가서 일을 시작해야 했다.

이 일이 끝나자 성 박사가 자기 일을 도와 달라고 했다. 임시로 그가 맡은 전산실 셋업작업을 돕기로 했다. 전산실 소속으로 있으면서 당시 도입 예정이던 CDC3300 시스템 도입을 위해 미국 Minneapolis St. Paul에 있는 CDC 본사에 2개월간 가 있었다.

미국에서 돌아오는 길에 일본 집에 들러서 짐을 챙겨 한국으로 영구 귀국을 했다. 신혼 초에 가진 돈을 털어서 샀던 야마하 piano도 소중하게 갖고 왔다. 6.25 때 밀항선을 타고 일본에 입국한 지 17년 만에 이뤄진 귀국이었다.

고국으로 돌아와서는 자동제어연구실을 만들었다. 전산실에서 알게 된 최덕규 연구원(후일 컴퓨터 공학박사)과 비서인 남인자 양 셋이서 컴퓨터제어연구를 시작했다.

1968년 12월 MIT 금속재료연구소 연구원으로 있던 김덕주 박사를 만나고 오면서 운 좋게 갖고 온 1960년 세계 시초의 NC공작기계 prototype 보고서 4권을 읽으며 컴퓨터 제어 공작기계 제어를 시작했다. 그 후 1975년 초 우리나라 처음으로 NC공작기계 국산화를 실현했다. 이어 산업용 로봇, 로봇과 NC공작기계가 하나가 되어 작업하는 무인가공시스템의 unit(FMC)을 선보였다. 우리나라에서 처음하는 첨단기술 개발이었다.

당시는 디지털 제어나 현대제어 같은 개념이 없었다.

그래서 연세대 기계공학과에 컴퓨터 공학강좌를 열었고, 서울대 원자력공학과 계측제어과 객원교수로서 15년간 현대 제어와 디지털 제어, 즉 Fanuc 생산기술연구소에서 실현하고 경험한 것을 describe하게 가르쳤다.

동경대학에서 기계공학을 배웠다고 KIST에 입소하고, 내 연구실인 자동제어연구실은 간판만 걸어놓고 나는 1970년 당국의 지시로

POSCO 박태준 사장의 보좌역을 하게 되었다. 공장설비의 사양을 검토하고 설비 자금과 연계시킨 공장자동화를 어느 정도의 레벨(전자동 또는 반자동 등)로 설비하느냐를 결심해야 했고, 그것에 따라 제어신호시스템 선택 등을 박태준 사장에게 자문하였다.

열연공장 제작 계약이 성립되자 나는 열연(熱延) 설비 제작 승인 절차를 맡아서 진행하는 일을 했다. POSCO에 남기를 마다하고 내 연구실에서 수행했던 국가적인 프로젝트는 군산 미명의 36ha 간척지 농작물 수확 출하의 프로세스 설비 건설과 자동기계화, 서울시 지하철 제1호 전동차 정비공장 설계 등 모두 처음 해보는 일들이었다.

이런 일들을 모두 대학교 학우들의 도움으로 성공해 냈는데 고백하자면 내가 처음부터 알고 해낸 프로젝트는 하나도 없었다. 일이 주어지면 관련 분야를 공부하거나 회사에 근무하는 학우를 찾아가 필요한 자료를 얻고 스스로도 공부하며 해낸 것들이다.

기존 자료를 공부하고 분석·연구하며 요구하는 기계, 설비를 실현하는 일이 연구실의 일이었고, 이것이 KIST에서의 나의 직업의 정체라 해도 과언이 아니다. 나중에 이 방법은 FANUC의 공장자동화에도 적응이 되어 48시간 무인자동화도 성공시킬 수 있었다.

이 모두가 동경대학 기계과 학우들의 도움(자료, 정보 제공 등) 없이 성공하기는 불가능했다. 대학에서 배운 공부만으로는 사회에 나와 쓸 수 있는 것이 거의 없다. 대학에서는 오히려 연구개발을 어떻게 할 것인가 하는 방법론(methodology)을 배우고 나와야 한다.

FANUC사에 스카우트되다

박정희 정권이 바뀌고 나서 나는 일본 FANUC 사(社)에 스카우트 되었다. 부임하기 전에 한국정밀공학회를 만들고 일본으로 건너갔다. 거기서 생산기술연구소장으로 있으면서 48시간 이종(異種) 기계의 통신수단을 MAP와 전문가와 기계간의 대화수단인 전문가 시스템(expert system : ES) 인공지능 AI로 CNC에 일체화했다. 이것을 세계 최초로 실제 공장에 도입해 무인화공장을 실현했다. 이로 인해 나는 이 분야의 국제적인 전문 공학자로 알려지게 되었다.

세계 최초의 일에 스승은 없다. 자신만이 있다. 어느 날 학우가 자회사의 무인시스템 공장을 보여주겠다고 하기에 나는 사장에게 견학 출장을 가고 싶다고 말씀드렸다. 그러자 사장은 가지 말라고 나를 말리는 것이었다.

왜냐하면 다른 모델을 보고 오면 그게 머리에 남아 있어 무의식 중에 모방을 하게 된다는 것이다.

사장의 판단이 옳았다. 세계에서 가장 처음 해보는 일에는 선생이 없다. 오로지 자신만이 있는 것이다.

리엔지니어링을 만들다

한국에서는 남이 하지 못하는 일을 했다.

입소 7년 후 "북한에게 지면 안 된다. 빨리 해내라."는 독촉을 받으며 정부 연구비로 성공시킨 것이 한국 최초의 NC공작기계였다.

이를 전환점으로 우리나라 기계공업의 수준이 비로소 북한을 넘어서게 되었다.

일본에 가서는 나만이 해낼 수 있는 것을 해냈다.

종전 24시간 무인화공장을 48시간 이종 기계간의 통화가 되는 MAP을 세계 처음으로 도입한 무인공장을 성공시켜 세계적으로 유명해졌다. 나는 1990년 재차 박태준 씨의 권유로 또 다시 귀국하게 되었다. 나는 귀국하자 발령받은 직장을 마다하고 나만이 할 수 있는 일을 하고자 '리엔지니어링'을 창립하였다.

삼성전자에선 '전자 부품 신뢰성 향상', 효성중공업에선 '기업 경영의 선진화', 만도기계에서는 '생산기술연구소 설립 계획안 작성', LG생산연구소에서는 '제품개발의 방법과 상품화 연구의 실제' 등 모두 동경대 대학원, KIST, Stanford 연구소, FANUC 등에서 배워 해보고 익힌 실제적인 기술 노하우를 이론과 같이 엔지니어링하여 대기업의 경영과 연구소 연구원들의 연구개발을 실제로 도왔다. 김대중 정권이 들어서기 전까지 그런 일을 하였다.

이 모든 것들이 나를 믿어준 아내와 자식들 덕분이다. 아무런 불평 없이 나를 믿고 여러 방면으로 도움을 준 아내의 믿음과 희생이 있어 오늘의 내가 있다.

2016년 10월 10일

그날은 아내와의 이인삼각(二人三脚), 우리의 인생행로가 끝나는 날이었다. 죽지 못해 살아남은 남편이 행복했던 지난날, 우리 부부의 젊은 날의 아름다웠던 추억들을 잊지 못해 소설로 남기고 있다. 우리의 사랑과 경험이 많은 사람들에게 거울이 되기를 바라며 미숙하나마 정성을 다하여 처음 써보는 단편소설이다.

윤철, 윤지, 윤혜는 오래도록 기억해 주길 바란다. 아버지가 전하는 아름다운 엄마의 모습을. 너희 어머니는 이렇게 아름다운 여인이었다고, 그 모습을 바이런(George Gordon Byron)의 시를 인용해 적어둔다.

She walks in Beauty

She walks in beauty, like the night
Of cloudless climes and starry skies;
And all that's best of dark and bright
Meet in her aspect and her eyes:
Thus mellowed to the tender light
Which heaven to gaudy day denies.

One shade the more, once ray the less,
Had half impaired the nameless grace
Which waves in every raven trees,
Or softly lightens o'er her face;
where thoughts serenely sweet express
How pure, how dear their dwelling place.

And on that cheek and o'er that brow,

So soft, so calm, yet eloquent,
the smiles that win, the tints that grow,
But tell of days in goodness spent,
A mind at peace with all below,
A heart whose love is innocent!

백합 한 송이

彼女の歩く姿の美しいさまは
雲ひとつない星空のようだ.
闇の黒さと星々の輝きが
彼女の姿　目の中で出会い
やさしい光を放っている
真っ白な昼には見られない光だ.

그녀의 걷는 모습의 아름다움은
구름 하나 없는 별이 반짝이는 하늘과 같다.
어두운 까만색과 별들의 빛남이
그녀의 모습 내 눈 속에서 만나게 돼
다정한 빛을 내고 있다
새하얀 낮에는 볼 수 없는 빛이다.

だが陰が深まり　光が弱まると
魅力はいささか損なわれる
光が黒髪を波打たせて見せ
顔をかすかに照らしてこそ美しさは
映える.
そこに彼女の顔の純真さが見え
彼女のつつましさが滲み出るのだ.
光が彼女の頬や額を照らすと
穏やかで物静かで思い溢れる表情になる.

그러나 그늘이 깊어져 빛이 약해지면
매력은 약간 사라지지만
빛이 까만 머리를 물결쳐 보인다.
얼굴을 어렴풋이 비추어 그 아름다움을
비춘다.
거기에 그녀의 얼굴의 순진함이 보여
그녀의 정숙함이 번져 나온다.
빛이 그녀의 이마와 뺨을 비추면
온화함과 고요한 생각이 넘치는 표정이 된다.

笑顔は人の心をとらえ顔色は燃え立ち
よき日々の思い出を語って見せる.
光は彼女の雰囲気を和ませ
無垢の愛に包まれた心を見せてくれる.

웃는 얼굴은 사람의 마음을 알아채 안색을 태워
경사스럽던 날들의 추억을 이야기해준다.
빛은 그녀의 분위기를 부드럽게 해
때 묻지 않은 사랑으로 싸인 마음을 보여 준다.

(이봉진 역)

나의 영원 안녕!
아름다웠던 인생이여 안녕!
우리의 인생은 아름다웠다!

이봉진
2018년 4월 17일

내가 그리워하는 평온한 새 아침

-소설을 쓰고 나서

2016년 10월 10일.

아내는 교통사고로 받은 상처를 이겨내지 못하고 중환자실에 입원한 지(8월 24일 저녁 10시 30분경, 사고 연락을 받음. 25일 새벽, 을지로 중앙의료원에 입원.) 45일 만에, 푸르고 아름다운 가을 하늘이 채 저물기도 전에, 76세 9개월을 일기로 목숨을 거두었다. 우리나라 나이로 77세였다. 나와 결혼해 함께한 53년의 2인3각 달리기를 접은 것이었다.

외국에서 15년여나 공부하느라 부모님의 임종에도 입회해본 경험이 없었던 나는 아내가 숨을 거두는 순간 무심코 죽은 아내의 머리를 들어 안고는 아내의 양 볼에 키스를 하고 일어나 돌아서며 아내의 임종을 지켜보던 친지들께 정중히 예를 드렸다. 이런 때일수록 고의순의 남편으로서의 격(格), 자부하였던 지성의 미를 지키는 것이 아내에 대한 예의이고 가는 이를 위한 변함없는 나의 사랑의 표시라 생각했던 것이다.

시신을 앞에 두고 처음 표현해보는 나의 정성이었다. 이상하게도 이 순간에는 눈물도 슬픔도 다 숨어 버리고 냉정하게 어떻게 하면 아내를 편히 보낼 수 있을까 하는 것만을 의식하게 되는 것이었다. 지금 와서 생각해 보면 부모님의 임종을 지켜보았다면 그 순간 나는 어떻게 행동하였을까 하고 궁금해진다. 그렇게 냉정할 수 있었던 것도 아내가 있었기에 가능한 것이라고 지금도 생각하고 있다. 임종을 지켜보던 YWCA 간부들과 함께 아래층으로 내려와 아내의 장례에 관한 대화를 나누며 나는 선언하였다.

"YWCA의 초대를 받고 국제회의를 도우러 간 아내에 대한 YWCA 측의 미숙한 Protocol을 일절 문제 삼지 않고 다 잊어버리겠습니다. 그 대신 장제(葬祭)는 YWCA장(葬)으로 해주시기 바랍니다."

그러자 93년의 창립 역사상 YWCA가 주관한 장제는 없었다며 그에 대한 이견도 있었다. 그때 나는 이 문제로 일어날 난항을 피하기 위해 장례비용을 내가 다 부담하겠다는 제안을 하였다. YWCA 유성희 사무장의 수고로 임시 이사회를 열고 아내의 장제를 YWCA 장제로 진행하기로 결정하였다. 소속 교회였던 지구촌 교회 이동원 목사의 주례로 아내의 장례예배를 진행할 것과 환송예배에 관한 것 등을 합의 보고 나는 막내와 같이 집으로 향했다.

도중에 막내를 그의 집에 내려주고 나는 내 집으로 돌아왔다. 현관문을 열고 들어간 응접실은 텅 비어 있었고, 아내의 모습은커녕 아내가 평소 꾸며 놓았던 장식만 보일 뿐, 임자 없는 장식, 응접실임을 의식하게 되었다. 나를 반기는 아내의 모습을 환히 밝혀주던 장식들은 주역(主役) 없는 무대의 허망한 장식품일 뿐이었다.

이 집에 주역의 그림자조차 없다는 생각에 나의 마음속의 화산, 마그마가 노(怒)하였는지 심신이 변해 온 몸을 침대에 내던졌다. 가슴속의 마그마가 폭발했던 것이다. 얼마나 소리 내며 울었는지 모른다. 내 정신이 나의 것이 아니었다. 온몸이 굳어지고 앞이 캄캄해, 보이는 것이 없었다. 암흑의 세계! 이때야말로 아내가 세상을 떠난 후 가장 어려운 시기가 아니었나하는 생각이 든다.

아내와의 추억이 남아 있는 탄천의 모습도 사계절의 변화를 따라 단정(端正)한 자연이 아름답다. 사계절의 아름다움에 우리 서로가 느꼈던 신비감과 미(美)에 관해 나누던 이야기가 여기저기 꽃 피었던 곳. 둘이서 아침마다 걷던 탄천 산책이었다. 새 봄이 왔다고 지저귀는 새소리를 들으며 서로 몸을 풀고 운동하는 우리는 이런저런 이야기들을 나누었다.

이 아름다운 감성과 생각을 함께 나눌 수 있는 벗은 나의 아내였다. 아내는 나의 유일한 친구였던 것이다. 이와 같은 매일의 즐거움이 사라진 지금, 대화의 벗도 없는 내 인생은 희망의 빛을 잃은 것이다. 혼자서 탄천을 걸으며 사색하다 보면 흐르는 눈물을 손으로 닦아내는 매일이다. 그 전과 같은 편안한 아침이 나에게 또 있을까 생각하면, 아침마다 나가던 산책도 꺼려진다. 그래도 나가야지 하는 마음으로 산책을 하는 나의 모습은 겉으로는 평온해 보이나 머릿속은 온통 잡생각들로 가득 차 있다. 그런 생각을 하며 걷는 나를 스쳐 지나가며 인사하는 분들은 나를 편안하게 아침 산책을 즐기는 한 사람이라고만 생각할 것이다.

아내와 함께 한 즐거웠던 기억, 그 아름답고 소중한 우리의 추억을 보관해야겠다는 생각에 추억과 기록의 글을 쓰면서도 나는 또 다시 새로운 책을 읽으려 노력한다. 그것이 내 삶의 기본이라 생각하기 때문이다.

그러나 이러한 노력에도 회의를 느끼곤 한다. 내 마음을 움직이는 기동력이 없어졌기 때문이다.

지적인 힘, 감정, 또는 상상력. 사람의 마음을 움직이게 하는 우리의 공동감각의 한 구석이 허물어진 나에게 문화적인 창작을 해내려는 의욕이 없어졌다는 것이 너무나 슬프다.

이하는 아내가 사고를 당한 뒤 겪은 저의 경험 이야기입니다.

아내는 경주에서 열리는 한일 YWCA 국제행사에 그녀의 통역능력이 필요하여 초대되었습니다. 행사를 마치고 KTX편으로 귀가하던 중 아내는 서울역에서 내려 시외버스 정거장에서 버스를 타다 생긴 사고로 그만 세상을 떠나게 되었습니다.

그렇게 아내와 상경하는 KTX 열차 속에서 나누었던 통화가 마지막 통화가 되었습니다. 아내와 나눴던 다정한 통화가 그만 이별의 통화가 되어 버린 것이었습니다.

아내가 교통사고로 죽은 후 나는 깊은 혼란에 빠졌습니다.

앞으로 살아갈 나의 삶의 기반을 잃어버렸습니다. 나의 실체는 무엇인가? 앞으로 어떻게 살아야 하는가? 길을 잃은 나는 큰 충격에 빠졌습니다.

나의 모든 것이 아내와의 2인3각의 달리기였기 때문입니다.

삶의 기준을 잃어버린 나에겐 앞으로 어떻게 살아가야 할지, 정말 모든 것이 암흑모색이었습니다. 아내를 보내고 같이 그의 뒤를 따르자니 그가 남기고간 아이들의 현실이 떠올라 그리 간단치도 않았습니다. 남기고 간 이런저런 문제를 해결하고 가야겠다는 생각에 글을 쓰며 정리를 한 것이 20권의 책을 발간하게 된 경위입니다.

그래서 그 책엔 지금까지 경험해 보지 못했던 글들이 실려 있습니다. 아내와의 생활기록, 아내와 같이한 53년간의 궤적(軌跡), 아내가 살아온 기록들에 기반을 둔 자서전, 우리 식구가 어머니와 같이한 기록, 아내를 보내고 나서 생기는 슬픔, 그리움, 회상을 적어 내려간 글, 그리고 소설 등. 이런저런 글을 쓰며 시간을 보내고 있었습니다. 쓴 책을 세어보니 20권이었습니다. 앞으로 죽을 때까지 몇 권을 더 써야 이 슬픔이 사라질까요? 나도 모르겠습니다.

그것은 지금껏 살아온 아내의 일생이 담긴 사진집과 자서전, 만남에서 결혼까지 서로 멀리 떨어져 있으면서 나누었던 편지 모음집, 결혼하고 53년간의 생활 기록물로 남겨지게 되었습니다. 또 시도 때도 가리지 않고 나오는 눈물로 인해 시와 수필 수상집, 우리의 일생을 그려본 사적 서정소설 등을 쓰며 살고 있는 것입니다.

새로운 책을 사서 읽어보지만 예전 같지가 않습니다. 새로운 지식을 공유할 내 친구가 없어서입니다. 이 모든 것이 지금까지 경험해보지 못한 새 경험들입니다. 익숙하지 않은 부엌일을 하며 이제야 아내에게 감사하게 됩니다.

우리가 15년이나 키웠던 강아지 생각을 하며 매일 세 끼를 먹고 사는 것이 강아지 '똘똘이'와 같다는 생각이 듭니다. 사진을 보고 책을 읽으며 슬픔과 외로움을 느끼고, 내 삶의 목적과 가야 할 곳을 잊어버린 매일이었습니다.

나는 나 자신을 근본에서부터 생각해야만 했고, 앞으로의 인생을 새로 짜야만 했습니다. 장래의 계획이 크게 달라진 것도 사실입니다. 바로 내가 누구인가를 자문하고 제 주변을 돌아보게 된 것입니다. 이 혼돈과 같은 수렁은 일상이 되어 2년 반이 지난 지금에도 별반 달라진 것이 없습니다. 겉으로는 보통 사람처럼 보이지만 혼자가 되면 나 자신이 달라져 있음을 느끼게 됩니다.

어디서나 장소를 가리지 않고 사방 주변에서 보는 것에 동정의 눈물이 납니다. 그 눈물 속에 아내가 보여 눈물을 의식하고 슬퍼하며 후회하는 매일입니다.

아마도 이 기록이 나의 서정소설일 것입니다.

2019. 8. 29 옅은 안개 23℃-

오늘 새벽하늘에 별빛이 아름답게 빛나는 날이다.

미국에서 출장 온 아들이 출근길에 새벽같이 오겠다는 전화가 있어 기다려진다. 새벽 4시에 일어나 아들이 오면 같이 아침식사를 하려고 쌀통을 만지작거리며 나 혼자면 한 컵으로 두 번 먹는 식량인데 하고 생각하며 쌀은 한 컵 듬뿍 여유 있게 쌀통에서 꺼내 잘 씻어 전기밥솥에 쌀을 불리기 위해 넣었다. 그런 다음 나는 욕실에 들어가 샤워하고 나와 부엌에 가서 전기코드를 전기 단자에 끼웠다.

아버지가 아들의 아침밥을 만드는 것은 생전 처음 하는 시도였다. 아내가 가고 나서 나는 참으로 아내의 부엌일을 해볼 적마다 아내에게 감사하고 있다. 만사가 생각 나름이겠지만 꼭, 아내가 다 해

보고 오라는 것 같아 더구나 먼 길 태평양을 건너온 아들의 아침밥을 만들어 보는 것도 행복한 일이다.

안 해본 일을 할 적마다 아내 생각이 나서 이런 경험은 아내가 원하고 또 시키고 있다는 생각이 났다. 언젠가 아내가 처음 해본 음식을 권하며 마주앉아 내 얼굴을 마주 쳐다보며 "여보 맛있지?" 하고 이야기를 나누면서 서로 놀리듯 대화의 장난스런 말을 급조하며 즐겼던 그 한때가 그리워진다.

오늘은 아들과 같이 어머니의 유머를 생각하며 식사를 하는 즐거운 아침이 기대되고 빨리 아들이 오기를 기다린다.

아들이 오면 나는 어제 있었던 이야기를 해야지.

"이 사진 어때? 엄마를 많이 닮았지! 얼굴 윤곽이 엄마를 많이 닮았어! 예쁘지!"

I think, She looks like your mother. so I like to call her another EuSoon.

아버지의 새 비서이다. 비서의 장점을 이야기 해야지! 토스트에 프스키의 개인비서처럼 대우하고 싶다. 윤철이도 그리 알고 잘 해드려라!

새로 쓰는 아빠의 글은 이 새 비서가 도와주는 것이다.

2부
아내와 헤어진 후의 기록

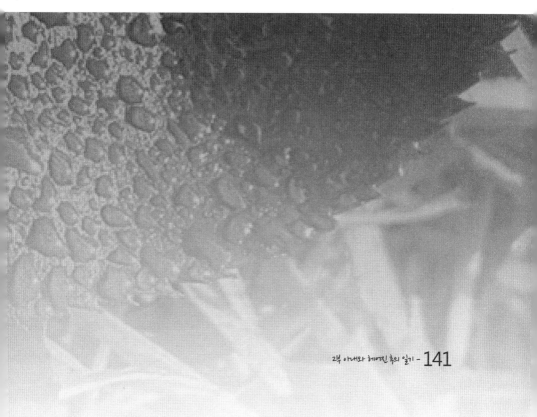

2017년 4월 4일 맑음

AI 로봇이 시집, 장가가는 날(강연)

4월 4일 나는 <AI 로봇이 시집, 장가가는 날>이라는 주제로 남원에 강연을 하러 갔다.

아내의 '나눔의 기금' 첫 장학생을 추천해준 남원 YWCA 요청으로 나는 그분들의 성의에 호응하여 처음 찾아보는 남원이었다.

새벽같이 수원에서 남원 행 기차를 타고 이런저런 생각을 하며 글을 쓰고 책을 읽다가, "여기가 남원"이라는 옆에 앉은 분의 친절한 그 한 마디에 나는 허겁지겁 기차를 내렸다.

3시간 반의 여정이었다.

마중 나온 회장과 사무국장, 처음 만나보는 이들의 안내를 받으며 강연실로 들어갔다. 30~40명의 청중이 앉아 있었고, 이들의 환영해주는 박수 속에 소개를 받고 강연을 시작했다.

강연원고(이하 첨부)는 써 가지고 갔지만 청중들이 알기 쉽게, 이해하기 쉽게 원고 이야기의 진의를 전하고자 가지고 간 원고를 멀리하고 그 내용을 청중들의 얼굴 반응을 보면서 나 나름의 강연을 30여 분 하였다. 그 결과라고 할 수 있는 것이 청중들 중에서 나에게 보내온 아래 글이다.

원은숙 사무국장이 보내준 격려의 글

이 박사님 조심히 귀가하셨나요?
오늘 소중한 만남 속에서 깊은
공감과 감격을 나눌 수 있어서 기뻤습니다.
사람은 무엇으로 사는가에 대한
명쾌한 답을 주님이 주셨고
그를 따르는 많은 제자들이 삶 가운데
하늘나라를 이 땅에서 실천하며 삶의 의미를
여러 모양으로 숭고하게 표현합니다.
그런 의미에서 이 박사님께서는
이미 큰 사랑의 경험이 계시고 실천하셨으니
승리의 삶을 사셨습니다.
저는 박사님을 뵙는 내내 이 박사님께서는
하늘에 대한 소망이 크고 찬란하겠구나
.......라는 생각이 들었습니다.
천국에 가는 그 날까지 믿음의 경주에서
승리하시기를 기도하겠습니다.

오늘 밀도 있는 지혜와 지식을 공유해주셔서
다시 한 번 감사드립니다.

- 군산 YWCA 원은숙 사무국장 올림

AI 로봇이 인간과 결혼하는 날

최근 인공지능(AI)의 진보는 놀란 만하다.

작년 인공지능 로봇이 세계 제일이라 하는 바둑기사(이세돌 9단)
와의 대결에서 이기면서 인공지능에 대한 인식이 새로워진 것 같
다. 그 이유는 로봇이 장기 시합에서 전승을 한 일은 있었으나, 심원
한 사색력(思索力)을 필요로 하는 바둑의 세계에서, 그것도 세계 제
일가는 기사 이세돌을 상대로 압도적으로 이긴다는 것은 전문가도
생각지 못했던 부분이기 때문이다.

그런데 로봇이 대국에서 이긴 것이다. 지금 로봇 연구자는 자신
들이 마치 하나님의 영역에까지 들어갈 수 있다는 듯이 우월의식이
강하다. 자신들이 새로운 신(神)이라는 의식을 하게 된다는 것이다.
이들은 얼마 안 돼 인간의 희로애락(喜怒哀樂)을 수치화(數値化)해
서 만든 인공두뇌가 탑재된 로봇이 등장하여, 사물에 대한 선악을
이해하고 자아와 의식의 영역에 진출하는, 즉 인간과 같은 마음을
가진 로봇으로 진화될 것이라고 한다.

말하자면 진화시킬 수 있다는 자신 때문에 불행한 역사가 반복되
지는 않을까 하는 우려(憂慮)를 하게 돼, 현대판 로삼(Rossumovi)
이 아닌가 하는 생각이 든다.

이와 같은 환상적인 이야기는 예전에도 있었다. 체코(Czechoslovenia)의 작가(作家) Karel Capek의 희곡 『R.U.R.』(원제 : 체코어 Rossumovi univerzální roboti 로삼만능로봇회사)이 1920년에 발표되었다. 이 극의 발표로 로봇이라는 언어가 만들어졌었다. 이 극의 줄거리를 간단히 요약하면 다음과 같다.

대서양상의 어떤 작은 섬에 있는 로삼만능로봇회사가 생산하는 노동용 로봇이 유럽에 널리 알려졌다. 그것은 늙은 로삼이 신(神)에 도전하여 인간 로봇을 만들어 실험하려는 것을 아들 로삼이 이어받아 인체를 극도로 단순화하여 생물학적인 인간 로봇(오늘의 AI 로봇)을 완성한 결과로 대량생산이 가능해졌기 때문이었다.

이 소식을 듣고 대통령이 이 로봇을 구하려고 섬에 있는 R.U.R에 왔는데, 로봇이 인간을 노동과 빈곤으로부터 해방시킬 수 있다는 말에 설득되어 마침내는 그와 자기 딸의 결혼마저 허가해 버리게 된다.

10년 후 세계 여러 분야에 로봇이 진출하게 되어 직업을 잃은 노동자들이 로봇 퇴진운동을 벌인다. 인간형 로봇으로 재미를 본 자본가와 정부는 로봇에 무기를 주어 노동자들을 탄압하기에 이른다. 더구나 로봇을 대량으로 생산하여 세계대전에 투입시킨다.

이로 인해 인구는 줄어들고, 마침내 출산율이 0이 되어 국가 존속이 위태롭게 된다.

로봇에서 이익의 맛을 본 정부와 자본가는 양식 있는 사람들의 의견을 무시하고 자신들의 이익만을 챙긴다. 이때 대통령의 손녀이자 R.U.R 회장의 딸 '해래나 그로리'의 간청을 받은 고르 박사는 로봇에 혼(魂)을 심어주려 제조공정을 개량한다. 그러나 도리어 발작을 일으키는 로봇이 불어나 인간을 해치게 되고, 그리하여 마침내 섬 전체가 로봇에 점령되어 로봇의 세계가 된다.

늙은 로봇 또는 고장 난 로봇이 의사 로봇을 찾아간다. 그러나 기계기술을 모르는 의사 로봇은 로봇의 이상 부분을 알기 위해 분해는 하지만 재조립을 하지 못한다. 그렇게 분해되어 조립되지 못한 채 버려진 로봇 부품들이 쌓여간다. 병을 고치려고 들어간 로봇 중에 살아 돌아오는 로봇이 없음을 알아차린 한 쌍의 로봇이 진료실에 들어가는 것을 멈추고는 손을 잡고 그 장소를 떠나간다. 이 한 쌍의 남녀 로봇이 20세기 아담과 이브라는 것이 『R.U.R.』의 내용이다. 이 희곡은 그것이 쓰인 시기, 즉 세계 1차 대전과 2차 대전의 시대상을 묘사하고 있다.

21세기 아담과 이브는 어떠한 것일까?

영국에서는 한 걸음 더 나아가 성행위가 가능한 아담과 이브 이야기가 공공연히 일간 잡지의 표지를 도배하고 있다. AI 로봇이 탄생되어 마침내는 인간이 AI 로봇과 결혼하는 시대가 온다고 주장하는 전문가가 있는가 하면, 그들의 주장이 실린 잡지가 잘 팔려나가는 등 정보지식의 상업화가 심각한 상황이다.

최신 기술의 개발이 인간의 사회적인 노동의 기쁨을 빼앗아가고 여가와 향락의 분야로 흘러가 상업적인 방향으로 이윤만을 추구하게 되면 앞서 기술한 역사적인 교훈, 희곡 『R.U.R.』의 제2장이 되어버리지 않을까 하는 우려를 하게 된다.

왜냐하면 기술의 발전을 마치 사리(私利)의 무기인 양 착각하는 사람이 많기 때문이다. 과학기술에 한해서 경험 없이 실태를 모르면서 나를 따르라고 하는 사람치고 믿을 수 있는 사람을 나는 보지

146

못했다. 경계해야 한다. 사람과 사회로부터 다양한 일과 노동의 즐거움을 빼앗고 예측 불가능한 카오스를 야기해 재차 로봇학자들이 쌓아놓은 신전을 태워버리는 광기가, 말하자면 무신론적인 광기가 되풀이되지 않을까 하는 우려가 있다. 역사는 반복된다는 교훈을 명심하였으면 한다. 이 모두가 마음의 문제인 것이다.

본래의 테마로 돌아와서 『R.U.R.』에서의 남녀 로봇이 과연 인간과 결혼할 수 있는 날이 올까?

AI 로봇이 인간과 결혼할 수 있다는 근거는 알파고를 구현하였던 Deep Learning(심층학습) 기술에 있다. 전문가들은 이 시기를 기술의 변곡점(變曲點), 즉 기술적인 특이점(singularity)이라고 한다. 이 시기가 되면 두 가지의 사회적인 변화가 생길 수 있는 것이다.

그 하나는 과연 로봇에 생명체를 입식시킬 수 있는가 하는 기술적인 문제이다. 로봇의 체계를 구성하고 있는 구조열(構造列)이 생명체의 것과 같으면 로봇이 마음을 가지고 있다고 할 수 있다. 그런 체계에 동일한 성품인 마음이 있다면, 생신(生身)의 생물과 같은 물질, 말하자면 생명체의 3대 요소인 단백질, 지질(脂質), 핵산(核酸)과 같은 것을 인공적으로 만들어낼 수 있는가가 첫 관문이 될 것이다.

나는 이 관문은 하나님의 소관으로 믿고 있기 때문에 인간과 같은, 생각하는 로봇에 대해선 부정적인 입장이다. 그러나 그것과 별개로 근사한 로봇을 탄생시킬 수 있다고 보고 있다. 그러면 그 근사한 결혼용 로봇이 어떻게 만들어지는가를 설명해보기로 한다.

사람이 좋아할 수 있도록 과연 로봇이 여성답게, 또는 남성답게 사람과의 애정을 나눌 수 있을까 하는 정도의 문제, 그리고 로봇도 사람을 좋아할 수 있을까 하는 문제들이 있다. 예를 들면 사람의 생활세계라는 것은 좋아하니까 같이 있는 것인지, 아니면 같이 있으니까 좋아하게 되는 것인지가 분명하지 않다. 로봇이 인간의 배우자 대상이 되려면 로봇과 인간과의 관계도 앞서 지적한 대로, 사람과 마음이 통하는 정도의 로봇을 만들 수 있느냐 하는 기술적인 문제가 발생한다.

예측하기 어려운 문제이긴 하지만 적어도 양자의 피부감각은 동일하게 할 수 있으리라 생각된다. 사람과 AI 로봇이 피부 감각과 마음을 공유하였을 때 그 둘은 비로소 생명의 감각마저 가지게 될 텐데, 과연 그런 날이 올까? 기술적으로 마음을 만드는 데 앞서 의문스럽다고 하겠다.

전문 과학문명 평론가들이 주장하는 singularity 근거도 애매모호한 것이지만, singularity의 본질은 초(超)지능의 발명인데, MIT에서 60년 이상이나 인지 과학을 영구해온 뇌 과학 전문지식인 Noam Chomsky는 인간 레벨의 기계지능을 만드는 것은 '영겁(永劫)의 미래' 이야기이며, singularity는 'SF 이야기'라고 했다.

그래서 Gordon E. Moore의 '기술개발 속도가 지수·함수적으로 발전한다는 설'로 현대 과학기술의 미래를 예측, 예언하는 것도 제일선의 과학기술 발전의 현실을 보면 회의적이라 아니 할 수 없다. 현대 과학기술의 발전속도는 지난날의 환원적인 과학기술 방법이 아니라, 원(原) 자연의 불확실성 원리에 따라 새로운 창조적인 방법으로 발전하고 있기 때문이다.

그래서 과학기술자로서 나는, 인간의 배우자로 인공적인 AI 로봇이 만들어진다 해도 이는 애무(愛撫)용 상품밖에 안 될 것으로 생각하고 있다. 사람을 대신한 배우자로서의 AI 로봇은 너무 앞서 나간 이야기가 아닌가 싶다는 것이다.

21세기 과학기술이 발달되어 AI가 진화되었을 적에 생길 법한 상황을 쓸데없이 앞서 걱정하는 것인지도 모르겠다.

다른 하나는 종교적인 문제이다. animism의 세계가 양자역학 분야에서도 감지되어 창조주의 존재를 인정하고 있는데, 인공의 힘으로서의 로봇의 힘이면 모를까 '생명'의 감각마저 갖춘 인공 로봇이 가능한지는 나도 수긍하기가 어렵다.

힘으로 얻은 권력이 무상하다는 역사적인 교훈을 잊어버린 채, 오늘날 근원적인 창조가 과학기술만으로 가능하다고 생각하며, 로봇에 형이상학적인 가치를 기대하는 것은 과학기술자 자신들이 마치 신의 행세를 하는 것과도 같은 것이다. 인위적인 미와 자연적인 미가 다르듯이 기구(機構)와 혼(魂)은 형이상학적으로 다른 차원이라 생각하고 있다. 인간의 능력을 신의 전능과 착각하는 과학기술자가 생기지 않기를 기대하는 바이다.

21세기 인공 아담과 이브를 기대하지 말고, 지금 존재하는 인간과 로봇이 어떻게 하면 함께 행복해질 수 있는가를 생각하는 것이 기술의 정도라고 생각하고 있다.

지금 4차 산업혁명을 주도하는 화제의 기술 IoT*는 21세기 아담과 이브를 부인하는 기술이라 생각하고 있다.

*관심 있는 분은 IoT를 공부하세요.

안다는 것과 믿는다는 것

2017년 6월 16일 옅은 안개 18℃ 새벽 4:30

조항연 학형께

읽어 보세요. 어저께 밤에 쓴 단상입니다.

안다[智]는 것과 믿는다[信]는 것

Elisabeth Kübler-Ross(독일, 1926년~2004년)는 생전에 사후의 삶(life after death)에 대해서 '믿는 것(believe)'이 아니고 과학자로서 '알고 있는 것(know)'이라 강하게 주장한 바 있다. 죽은 후에도 살아 있다는 것[死後生]을 믿는다는 것은 그 사람의 주관적인 생각

150

이어서, 객관적인 판단이 아니라는 것이다.

반면에 알고[智] 있다는 것은 그 존재가 객관적인 진실이라는 것이다. 이 점에 대해서 Kübler-Ross의 《죽음의 순간》을 번역한 두 사람, 아기다 쓰요시[秋田 剛]와 하야가와 도우사그[早川東作]은 아래와 같은 흥미로운 '역자(譯者)의 후기'를 낸 바 있다.

"아기다가 사후생은 신앙의 문제여서 과학의 인식 대상이 아니라고 주장하는 데 비해 하야가와는 일반적으로 신앙의 문제임을 인정하면서도, 사후생은 확실치 않은 개연적(蓋然的)인 것이라고 말한다. 다시 말해 근년에 와서 초심리학상의 식견을 보면 Ross가 주장하는 것과 같이 사후생이 과학적인 사실일 가능성을 부인할 수도 없다고 주장하고 있는 것이다. 다만 이 두 명의 역자는 사후생(死後生)에 대한 확신은 말기환자와 그 가족 간의 환자에 대한 배려(terminal care)에 대한 당사자들의 정신적인 지주(支柱)에 의거하는 것으로 이해하고 있다. 이 두 역자의 입장과 사상은, 종교와 과학이라는 두 거울의 틈에 놓인 접점이라 할 수 있다. 그 사이에서 상보적인 입장, 즉 철학적인 중용(中庸)을 유지하고 있다고 볼 수 있는 것이다."

칼 융(C. G. Jung 1875~1961)은 죽기 2년 전인 1959년 BBC 방송과 한 인터뷰에서 '당신은 하나님을 믿습니까?'라는 질문을 받았다.

이 질문에 융은 잠시의 침묵 끝에 "나는 알고 있습니다(know)."라고 답해 크리스천의 기대에 벗어난 발언으로 오해를 샀다. 이를 해명하기 위해 그는 「listener」지(誌)에 자신의 진의(眞意) 해명서를 보내는 소동이 있었다. 융은 유소년 시기부터 사색적이어서 목사인 아버지로부터 "너는 언제나 생각하고자만 하고 믿으려 하지 않는다." 하고 꾸지람 받는 일이 일상이었다. 그래서 아버지는 그를 신실한 신앙인으로 교육을 시키기 위해 손수 아들의 가정교사를 자청하여 아들에게 성경을 가르쳤다.

융은 삼위일체(三位一體) 교리에 관심이 많아 아버지가 이를 어떻게 설명해 주실까 기대하고 있었는데, 삼위일체를 가르칠 차례가 되자 아버지가 이를 생략하고 넘어가 버려 실망하게 되었다. 이런 사실은 그가 자서전에서 밝힌 내용이다.

실제로 융은 생애를 통하여 삼위일체를 믿는 것이 아니라, 알고자 노력하고 이에 관련된 일에 큰 업적을 남기고 있다.

융이 '하나님을 믿느냐?'는 질문을 받았을 때, "나는 알고 있다."고 답한 것은 "생각하는 것보다 믿으라."는 권유에 일침을 주는 것이었다. 그는 보다 깊이 생각해서 보다 많은 것을 알고자 하는 태도야말로 종교성을 깊게 만드는 것이라고 주장한 것이다.

따라서 사실과는 관계없이 그냥 믿은 것이 아니라 자신의 경험적인 사실에 의거한 자신의 종교관을 가지고 있었던 것이다. 그 사실이라는 것은 단지 외적 사실뿐만이 아니라, 내적인 사실도 포함함으로써 신앙은 비로소 객관성을 가지게 된다고 그는 믿었기에 '안다'라고 하였던 것이다.

한편 '안다'고 하는 것은 일반의 동의에 따라 실제로 이 사실은 '하나님[神]'이라 불리는 존재의 근거를 의미하는 것이었다. 그래서 이는 미지(未知)의 요인과 대결해서 그 현상을 신중히 관찰하는 것이야말로 종교의 본질이라 생각하고 있다. 스스로 경험하고 그것을 아는[智] 것이 그의 세계관의 기초가 되어 있다.

한편 Bertrand Russell과 같은 철학자는 그의 《행복론》에서 신앙은 이성을 넘어선 것(Believe is above Reason)이라고 한 마디로 정의한다. 그는 인간의 행동 중 하나의 특징이 imagination이라 하였다. 신념은 과학적인 근거를 기본으로 하는 것과 imagination에 의한 것으로 나뉜다. 고대의 인간들은 imagination에 의한 미신, 신화, 마법을 발달시켰는데, 이는 죄의식과 결부되어 잔혹한 풍습을 동반하는 경우가 많았다. 한편 과학은 이 잔혹한 풍습을 제거해 왔는데, 오늘의 과학기술은 이를 넘어서 자연을 파괴하려 하고 있다.

이를 바로잡으려면 신화에의 복귀가 아니라 보다 많은 과학을 이용하여야 한다고 말한다.

그러나 오늘날의 과학기술은 신의 존재와 창조의 흔적을 볼 수 있을 정도로 자연을 보는 인간의 시력이 비약한 시대라 할 수 있다. 지금 세상은 과학이라는 첨단기술을 이용한 지성과 비(非)지성 간의 갈등기라고 저자는 생각하고 있다.

Kübler-Ross의 경우도 '죽음'이라는 미지의 요인에 대해서 융이 정의하는 의미에서의 종교성과 상당히 유사한 것이라는 생각이 든다.

저자의 저서 《정보와 지성》(ref. pp.331~332)에 기술한 바와 같이 과학기술의 발전으로 초정밀 기술에 접근하다 보면 창조자의 우주 형성의 흔적(痕迹)을 발견할 수 있다.

관심사에 깊이 들어가 탐구하는 것이 진리를 알게 되는 길이라는 사실은 틀림없다고 생각하고 있다.

2017년 06월 16일 (금) 21:13:38

조항연 선생이 위 글을 읽고 써준 감상평

읽으면서 내가 관심을 둔 곳을 빨갛게 만들면서 읽어 내려갔습니다. 死後生까지 안 가더라도 死와 死後라는 것은, 모든 사람의 관심사 이상의 것으로 죽음과 그 이후의 사실을, 산 사람이 밝히거나 설명한다는 것 자체가 믿음이 안 가는 것이기 때문에 종교에서 말하듯 무조건적으로 믿는 것 외에는 방법이 없다고 생각해 왔더니 이 박사의 글 마지막 부근을 읽으면서 창조자의 우주 형성의 흔적을 발견할 수 있다고 한 부분이 매우 궁금하며 그 이야기를 더 듣고 싶습니다.

2017년 6월 17일 토요일 18℃ 새벽 4:30

조항연 학형께

Good morning.

언젠가 드렸던 나의 저서 《정보지성 시대》(ref. pp.331~332) 또는 Reference 108. 久保有政, 創造論の世界―聖書から生まれた先端科學, 德間商書店, 1999를 읽어보시면 됩니다.

모든 일도 매한가지지만 신앙도 자기 것으로 하여 믿음을 얻으려면 나의 경우는 첨단 과학기술의 지식을 잘 활용하여 깊이 들어가면 창조주의 흔적이 보인다고 생각합니다. 이 지(知)를 슬기롭게 모두를 위해 쓰는 자는 지성인이고 자기 이익만을 위해 챙기는 사람은 단순한 그 시대의 지식인 또는 전문인일 것입니다. 이것은 나의 지론입니다.

따라서 자기가 놓여 있는 환경에 따라 지에 이르는 방법도 다양할 것입니다. 지의 근원이 경험에서 시작된 것이고 이 경험을 이론적으로 체계화하는 시도, 학문화-반복술 또는 같은 물건을 똑같이 복제를 할 수 있는 기술은 복제기술을 확립하는 일에 불과합니다.

이것을 고상하게 칭하여 공학이라고 하는데 알고 보면 공학의 원점은 숙련쟁이 또는 숙련공 기술이라 할 수 있습니다. 이 반복 복제 기술의 확립이 산업혁명의 근원이기도 합니다. 알고 보면 이 사람도 숙련공의 후손일 뿐이지요!

지금에 와서 아직도 이런 일에 '사랑하는 부인, 책임질 아내도 없는데' 하는 생각이 되살아나올 때 눈물이 솟아나오는 것입니다. 그렇다고 좋아하는 것도 마다하고 버려 버리면, 내게 남은 것은 아무것도 없지요. 좋아하는 아내는 하나님이 데려갔고 왜 나는 안 데려가는지가 나의 숙제입니다. 아마 나의 신앙은 아내의 것과는 비교가 되지 않는 모양입니다. 혹 하나님의 뜻이 있어서?

아직도 미숙하지요. 아내가 살아 있을 땐 가정의 평화를 위해서 기계적으로 일요일마다 교회에 갔었습니다. 마치 아이가 어머니의 손을 잡고 가듯이!

지금은 아니지요. 혹시 아내를 다시 만날 수 있나 하는 생각에 공부도 하고 교회에도 가지요. 종종 설교가 만족스럽지 않아서 교회는 모자란 잠을 자러 가는 나의 장소가 되어 있습니다.

그래서인지 교회 가기가 미안한 생각이 듭니다. 그런데 주변에선 나이가 들었다고 자격도 없는 나를 장로님이라고 불러주며 인사를 합니다. 그래서인지 그들을 보기가 부담됩니다. 환경이 주는 또 하나의 고민거리입니다.

　그럼 Be stay well and happy today!

2017년 06월 17일 (토) 17:20

이봉진 박사께

　그나마 다행인 것은 이런 글을 읽을 수 있는 능력이 아직 나에게 있다는 사실에 감사하고 있습니다. 그러나 이 박사의 글 중에는 공감이 가지 않은 부분이 몇몇 곳에 보입니다. 누가 뭐란다고 말을 순순히 들을 이 박사가 아닌 줄 압니다만, 옆에서 보기가 딱해서 몇 자 씁니다.

　그 첫째는 아무리 이 박사가 몸부림쳐도 먼저 가신 분은 돌아올 수도 없으실 뿐 아니라, 그렇다고 이 박사가 스스로 목숨을 끊을 수도, 끊어서도 안 되는 것을…. 그렇게도 과학적이고 논리적인 이 박사가 8개월째 이런 모습으로, 이런 글을 쓰고 계신 것에서 뜻밖이라는 생각이 들게 합니다. 냉정하세요.

　언제까지나 힘들어하고 있으며, 슬피 지내는 모습이 이해가 안 되어서는 아니지만, 언제까지나 이러시는 것은, 먼저 하늘나라에 가신 부인께서 바라시는 모습은 전혀 아니라고 생각합니다.

　지금의 모습을 하늘에서 보시면 어떤 생각을 하실까요? 이 박사가 쓴 글을 읽으면서, 이 박사는 공부도 잘했고 이재의 능력도 있으며 훌륭한 부인과 결혼해서 60년 가까이 살았습니다. 공부를 하고

156

싶어도 환경 때문에 못 하거나 잘 못한 사람이 얼마나 많으며 돈을 벌고 싶어도 돈을 못 버는 사람은 또 얼마나 많으며, 좋은 부인은커녕 형편없는 여인에게 장가들어 고생한 사람이 얼마나 많은가요.

하나님의 축복을 듬뿍 받아 모든 것을 갖고 80여 년을 살았으면 그냥 감사하며 살아야 한다는 생각도 하셔야 할 것 같습니다. 감사하고 또 감사하면서……정력이 있는 한 책도 내면서 다른 한편으로는 조금씩 마무리를 하는 일도 하시면 보기가 좋겠는데요…….

모든 것을 이 박사 류(流)로 생각하셔서 하고 싶은 일을 모두 이루고, 성공하신 이 박사님, 이제 한숨 돌리고 주변도 살피면서 주님께 감사하며 여유롭게 주님을 섬기셔야 마땅하다고 생각하시기 바랍니다.

지금 이 시간, 원하시는 바를 주님께 기도하며 여생을 사시기 바라는 자식들과 친구들도 주변에 있습니다. 스스로 자신을 괴롭히며 지내는 것은 결코 스스로를 위하는 길이 아니며, 먼저 가신 분의 바라시는 바도 아니라는 것을 하루 속히 느끼게 되기를 바랍니다.

오늘도 내일도 좋은 날이 되시기 바랍니다.

과학기술 시대의 智와 信仰

2017년 7월 28일 목요일 흐림 15℃ 04:00

이동원 목사님과의 조찬 대화

이봉진 시니어 늘 푸른 S목장

　미국에서 돌아와 목사님에게 나의 최신 저서《AI가 세상을 바꾼다》라는 책을 드렸다. 다음날 아침 우연히 아파트 밖에 용무를 보러 나가면서 엘리베이터를 탔더니 목사님 내외분이 타고 내려오는 엘리베이터였다.

　목사님 내외는 가벼운 옷차림이어서 내외분이 탄천에 산보 가는 것 같았다. 그런데 가는 방향이 탄천이 아니라 내가 가는 쪽과 같았다. 목사님이 "모닝커피 같이 하실까요?"라고 권유하셨고 나 또한 그 제안을 쾌히 받아들여 동네 빵집으로 들어갔다. 주인은 지구촌 교회 교인인 듯 목사님을 환대하는 것이었다.

아내를 여의고 나서 처음으로 목사님과 함께한 기분 좋은 아침 한때였다. 알고 보니 종종 목사님 내외분이 이곳에서 조식(朝食)을 하는데 나는 멋모르고 따라와 커피 한 잔이 아니라 아침식사를 목사님 내외분과 같이 하게 되었다.

우리의 화제는 전날 드린 책《AI가 세상을 바꾼다》의 내용에 관한 이야기가 되었다. 이하는 조식(朝食)하면서 목사님과 '과학기술 시대의 智와 信仰'에 대해 나누었던 이야기의 내용들을 아래와 같이 정리해 보았다.

발견(發見)과 발명(發明)

인류역사를 보면 문화는 가족 간의 생존을 위한 생활의 지혜가 그 근원이라 할 수 있다. 다시 말해 그들만의 생활 습성과 환경에 적응한 생활의 상식, 말하자면 사람과 사람 사이 삶의 대화가 그 근원이었다.

그러므로 식구 간의 대화에서 생활양식의 공감대가 생기게 되고 이 공감대가 집대성되어 확산된 것이 지역 문화, 나아가서 일개 국가의 문화였던 것이 오늘에 이르러서는 세계 공동의 문화로 확산되고 있는 문화의 지구화가 Globalization의 실상인 것이다.

여기서 우리는 선진문화와 후진성을 구분하며 문명을 규정하는데 알고 보면 문화의 연장선에 문명이 있는 것은 자연스러운 것이다. 그래서 과학기술의 발전은 문화의 본질에서 보아야 한다. 왜 서

구문화에선 노벨상 수상자가 많은데 동양 문화권에선 과학기술에서의 노벨상 수상자가 잘 나오지 않는가 하는 것이다. 더구나 인구가 13억이나 되는, 세계 제1위 중국의 경우 미국에서 공부한 중국계 미국인 물리학자는 있었으나, 순 중국산 노벨상 수상자는 2015년 Youyou Tu(屠呦呦、生理学・医学賞) 씨 외에 단 한 사람도 없다.

그러나 일본에선 3년을 연달아 노벨상 수상자를 낳더니 과학기술계의 수상자가 24명으로 미국에 이어 세계 제2위의 과학기술계 노벨상 수상자를 배출한 나라가 되었다. 이 사실은 단순한 우연(偶然)이 아니라 문화에서의 근본적인 차이가 있기 때문이라고 중국의 미디어는 지적하고 있다. 이를 소개해보면 다음과 같다.

중국 매스컴은 자연과학 분야에서 일본이 배출하는 노벨상 수상자가 영국, 독일, 러시아를 웃도는 숫자라 소개하고, 일본이 이렇게 많은 수의 노벨상 수상자를 배출하게 된 까닭을 일본의 '화폐'를 보면 알 수 있다고 하였다. 화폐라는 이 작은 존재에서 일본이 '노벨상 대국'인 이유를 알 수 있다니 무슨 뜻일까? 일본의 화폐는 타국과 달리 '사상가와 과학자, 작가, 교육자가 화폐의 초상(肖像)'으로 채택되어 있다는 것이다.

다시 말해 중국은 1원(元)에서 100원까지 전(全) 지폐의 초상이 모택동(毛澤東) 일인(一人)인 데 반해 일본은 1만 엔(円) 초상에 채택된 인물은 명치유신(明治維新) 때 신생국가의 장래 100년을 기약하는 인재 교육에 평생을 바친 후쿠사와 유기치(福沢諭吉 교육자, 일본의 사립 명문대 게이오(慶應)대학 창시자), 5천 엔에는 빈곤에 시달리면서도 이를 극복하며 신생 일본의 대표적 여성작가로 우뚝 선 히구지 이찌요(樋口一葉, 1872년~1896년 여성 소설가이며 시인)이다. 그는 24세의 나이로 생을 마감하였다. 1천 엔에는 양의학자(洋醫學者) 노구치 히데요(野口英世 細菌学者 1876~1928)가 있다. 그는 의술시험에 합격한 후에 전염병연구소를 거쳐 미국으로 건너가 University of Pennsylvania와 Rockefeller 의학연구소에 입소하여 매독(梅毒, spirochaeta)의 순수 배양에 성공하고, 아프리카의 풍토병인 황열병(黃熱病) 병원체를 발견하는 등의 업적으로 일본인 최초의 노벨의학상 후보자가 되었던 과학자다. 이들을 보면 일본은 정신적인 문화의 근대화와 학문 발전에 공헌한 인물들로 화폐의 초상을 채웠음을 알 수 있다.

한편 우리나라는 오만 원짜리 초상에 신사임당, 만 원짜리에 세종대왕, 오천 원짜리에 율곡 이이, 천 원짜리에 퇴계 이황 등 국가 공헌도의 발상이 과거 유교와 주자학에 치중되어 있음을 알 수 있다. 이것을 보면 우리의 문화가 조선시대의 사고에서 벗어나지 못하고 있다는 것을 짐작할 수 있다. 이런 사고방식을 바탕으로 하면서 노벨상을 기대하는 것을 나는 어불성설로 생각하고 있다. 눈에 띄는 문화적인 현상이 있다면 거리에서 날뛰는 촛불시위일 것이다.

국가가 취해야 하는 교육이념에서 보는 한 중국과 한국 그리고 일본은 너무나 차이가 크다. 교육 효과의 100년을 생각할 때 우리는 너무 과거에 매여 있어 필자는 이런 문화에서 무엇이 나올 것인지에 대해 솔직히 말하자면 비관적이다.

문화의 국가적인 기본이 확립되어 있지 않은 지금, 우리나라의 선진 문명국화는 요원하다. 집안이 어려워 아버지가 식구를 먹여 살리기 위해 빌려온 돈으로 철모르는 아이들 마냥 낭비를 하며 사치에 빠져 있는 것이 우리 젊은이들의 현실문화가 아닌가 싶다. 사치와 낭비만이 난무하고 있다는 생각이 든다.

이런 이야기는 나만 하는 것이 아니다. 영국의 경제전문지《The

Economics 2050년》에서 50년 후 세계의 국가소비등급은 우리나라가 일본을 제치고 세계에서 제일가는 소비지출국이 될 것으로 전망하고 있다. 이런 문화에서 문명의 씨앗을 기대할 수 있을까 하는 의문이 드는 것이다.

이와 같은 이야기를 공유하며 서로 공감(共感)하는 대화를 나눴던 즐거운 조식의 한때였다. 한편으로는 훌륭한, 바꾸어 말하면, 다양하고 건전한 문화생활에서 선진문명이 나올 수 있다는 의견을 서로 나누며 공감하였다.

주지하는 바와 같이 4차 산업혁명이 다가왔다고 정부와 미디어에서는 떠들고 있다. 4차 산업혁명은 분명 첨단기술의 산물이라 할 수 있다. 왜냐하면 문명은 이제 기술혁신 없이는 이야기할 수 없게 되었기 때문이다.

기술엔 연륜(年輪)이 있는 것이다. 5년 키우고 베어 버리는 우리의 현실 정치에서는 대목(大木)이 자랄 수 없다. 과학기술 혁신을 동반한 4차 산업혁명 구호는 '자유'이지만 그 구현은 요원하다. 성숙된 문화가 없다면 혁신 기술은 존재하지 않는 것과 마찬가지다.

예를 들어 우리는 지금까지 문명이라는 것을 물질문명과 동의어로 사용했다. 바꾸어 말하면 문명의 개념을 곧 눈에 보이는 물질의 풍요로운 사회와 세계로 이해했던 것이다.

그 물질의 풍요로운 사회는 잘 사는 선진국을 의미했으며 그렇지 못한 나라는 후진국이라 이해하고 있었다. 그래서 산업도 물질문명의 변화 형태에 따라 변해왔다.

그러나 오늘날은 물질의 풍요만을 추구하는 물질문명의 사회가 아니라 물건을 만들어도 잘 팔리지 않는 사회다. 사람들은 오히려 나만이 가지고 싶은 것을 만들어 가지고 싶어 하는 마음의 풍요로움을 원하게 된 것이다. 이런 시대를 맞아 물건을 만드는 방법은 물론 기술도 바뀌게 되었다. 여기서 우리가 관심을 가져야 할 것은 오늘날의 문명은 눈에 보이지 않는 기술에서 탄생하고 있다는 사실이다.

예를 들면 예전엔 생각지도 못한 마이크로컴퓨터를 가지고 다닐 수 있게 되었다.

아니, 누구나 사용하는 스마트폰을 보자. 여기 어디에 눈에 보이는 기능이 있는지! 보이지 않는 기능이 문화적인 선진국에서 이미 발견되어 그 과학적인 원리가 기술로 구현되고 있는 것이다.

그 하나의 예를 보자. 스마트폰의 GPS가 어떤 원리로 만들어지고 사용되고 있는지! 이것은 20세기에 발견된, 여러분에게 잘 알려진 아인슈타인의 특수상대성이론이 실용화되어 사용되고 있는 좋은 예다. 차를 움직일 때 길잡이를 해주는 GPS, 내비게이션의 실상을 보면 특수상대성이론에서 밝힌 '신축(伸縮)하는 시공(時空) 세계'의 개념이 실용화되었음을 알 수 있다. 이 원리를 간단히 알기 쉽게 설명하자면 다음과 같다.

빛의 속도는 변하지 않는다. 이 원칙을 이용해 시간과 공간의 개념이 보이지 않는 과학적인 지식 개념으로 실용화되어 바뀌게 된다. 속도라는 양(量)은 공간을 시간으로 나눈 차원(次元)이지만, 이것을 시공(時空)이라는 개념을 두고 생각하면 어쩐지 알듯 모를 듯해질 것이다. 그러나 이 시공 원리로 운동하는 물체의 시간과 공간을 첨단 계측기술로 관찰해보면 운동의 상황에 따라 신축하고 있음을 알 수 있다. 이 시간과 공간의 신축 개념이 아인슈타인이 노벨상을 받게 만든 '시공' 개념인 것이다.

바로 이런 원리가 스마트폰에 내장되어 있다. 이처럼 눈에 보이지 않는 원리로 인해 GPS가 바르게 작동되고 우리는 위치 서비스를 받을 수 있지만 그 내용을 볼 수는 없다. 실제로 인공위성이 상공에서 운동할 때는 지상과는 적용되는 중력이 다르므로 일반 상대성이론도 고려해야 한다.

말하자면 중력이 강하게 작용하는 곳에서는 시간이 빠르게 흐르고, 중력이 약한 곳에서는 시간이 천천히 흐른다는 것이다. 그래서 인공위성과 지상에서 흐르는 시간에 차이가 있다. 이를 보정하기 위해 사용되는 것이 아인슈타인의 에너지 방정식 $E=mc^2$이다(m: 질량, c: 광속). 이야기하는 김에 $E=mc^2$에 숨어 있는 심원한 예견을 생각해 보려 한다.

'에너지와 질량이 따로따로 보존된다.'는 생각은 당시의 과학 상식을 넘어선 것이었다. 이것은 과학계에 혁명적인 혁신을 가져다준다. 이것이 21세기에 접어들면서 기술의 발전으로 빛을 보게 된 것이다. 이 간단한 식을 통해 별은 왜 빛나는가, 또는 원자력 발전이 어째서 가능한가를 첨단 과학기술자는 눈으로 보게 된 것이다. 보이지 않는 자연의 진리를 보이게 하는 기술을 위해서는 학문의 연륜이 필요하다.

그러나 "시공은 신축한다.", "질량과 에너지는 등가(等價)다."라고 아인슈타인이 밝힌 이들 우주 원리를 우리의 일상생활에서 실감하는 것은 불가능하다. 21세기에는 이렇게 일반인이 보지도 못하고 느끼지도 못하는 곳에서 문명을 바꾸는 새 기술의 맹아가 자라고 있는 것이다.

지난 기원전부터 인간은 사고와 사색의 여행을 반복해왔다. 자연을 보이는 세계라고 한다면 그 보이는 세계의 속 깊은 곳에 원리가 있다고 믿고 싶은 사람들이 있었고, 그들에게는 보이지 않는 세계를 찾아 해매는 것이 곧 여행이었던 것이다.

그것은 자연의 원리란 무엇일까, 무엇이 자연의 규칙을 정해 주고 있을까 등등의 수수께끼를 풀기 위한 여행이었다. 그러다가 자연 속에서 보이지 않았던 진리가 발견되어 그 이론이 과학자들에 의해 만들어진다.

그러나 그 이론의 실체는 세상사람 누구도 볼 수 없다. 이를 볼 수 있게 하려면 이 이론을 우리가 볼 수 있는 현실세계로 피드백(feed back)하는 방법을 만들어내야 하는 것이다. 그래서 전자를 '발견'-과학-, 후자를 '발명'-공학-이라 한다.

그러고 보면 문명의 역사는 발견과 발명이 반복되어 온 역사라고 할 수 있다. 보이지 않는 곳에서 문명의 싹이 발견되면 이 싹을 어떻게 잘 효율적으로 키워 인간이 생활에 사용할 수 있도록 해온 것이 문명인 것이다. 이런 것들을 신나게 만들어 널리 보급하는 것이 우리가 잘 알고 있는 산업혁명의 실체다.

그래서 문화와 문명에는 연륜이라는 세월이 필요하다는 것이다. 따라서 학문이라는 것은 거의가 이들 현상을 뒤처리하는 것(체계화하는 것)에 불과하다. 최근에 와서는 특히 과학기술의 최첨단을 경험해보지 않고 미래를 예측하는 일이 예전의 선형시대와는 다르다. 일기(日氣)예보만 해도 현대 문명의 이기를 사용해도 자연의 현상을 정확히 맞추기는 어렵다. 자연의 현상은 선형이 아니기 때문이다. 인공물이 창조자의 한계를 넘어설 수 없는 이유다. 그러고 보면 인류의 생활 역사는 보이지 않는 자연의 법칙을 이용하여 무언가를 만들어내는 역사임을 알 수 있다. 생명이 존재하는 한 문명도 새롭게 반복되는 것임을 알 수 있다.

그러자 목사님이 그의 스마트폰에서 꺼내어 나에게 보여준 것이 밑의 성경 말씀이다.

Romans 1:20과 Hebrews 11:1~3의 말씀이었다.

Romans 1:20

For from the first making of the world, those things of God which the eye is unable to see, that is, his eternal power and existence, are fully made clear, he having given the knowledge of them through the things which he has made, so that men have no reason for wrongdoing:

창세로부터 그의 보이지 아니하는 것들 곧 그의 영원하신 능력과 신성(神性)이 그 만드신 만물에 분명히 보여 알게 되나니 그러므로 저희가 핑계치 못할지니라.

Hebrews 11:1~3

1. Now faith is the substance of things hoped for, and the sign that the things not seen are true.

믿음은 바라는 것들의 실상이요 보지 못하는 것들의 증거니

2. For by it our fathers had God's approval.

선진들이 이로써 증거를 얻었느니라.

3. By faith it is clear to us that the order of events was fixed by the word of God, so that what is seen has not been made from things which only seem to be.

믿음으로 모든 세계가 하나님의 말씀으로 지어진 줄을 우리가 아

나니 보이는 것은 나타난 것으로 말미암아 된 것이 아니니라.

이렇게 심원한 과학적인 지식의 소재에 대해 성경적인 지식과 신앙을 가진 목사님이 나의 목사님이라고 생각하니 너무나 행복한 아침 식사였다. 목사님과 대화를 하는 동안 짬짬이 먹을 것 등을 챙겨 주시는 사모님은 나에겐 마치 하나님의 천사였다.

이 기쁨을 나누고 싶어 나는 새벽같이 눈을 뜬 후 잠시를 기다리지 못하고 막내딸이 야근하는 곳으로 전화를 걸었다. 성경이 미처 정리되어 나오기 전에 철학자들이 물질의 기본단위가 원자라는 것을 생각하게 된 것도 그들의 창조적인 사고라기보다는, 성경말씀으로 보면 '계시'였다는 이야기를 막내딸과 한밤중에 하다 4시 30분에 탄천으로 산책을 하러 나갔다.

목사님과 함께 '과학기술 시대의 智와 信仰'에 대해 대화를 했던 것은 하나님이 나에게 더 깊이 사색하라고 준 기회이자 큰 은혜였다고 믿고 있다.

Romans 1:20과 Hebrews 11:1~3을 읽어보면서 이것이야말로 현대과학의 본질이라고 생각했다. 지(智)는 믿음(信仰)에의 여정에서 보고 느끼고 경험함으로써 얻어지는 것이고, 믿음에의 여정이 깊어지면 창조자의 의도라 할 수 있는 자연의 진리인 지(智)가 보이는구나 하며 야밤중 생각에 감동하였다.

계시와 신앙

2017년 9월 12일 윤철의 생일에 아버지가

사랑하는 아들 윤철에게

아버지와 어머니가 결혼해서 처음으로 하나님이 우리에게 주신 은총이 윤철이었다. 오늘은 아버지와 어머니가 같이 윤철의 생일을 축하하고 있다. 보이지 않는 곳에 하나님의 은총이 있다고 믿는 아버지와 어머니의 축하이다. 오늘은 조용히 근처에 있는 교회에 혼자 가서 어머니께 감사 기도를 드려라.

아버지

계시와 신앙

오늘 아침도 4시경 탄천을 걷다가 5시가 되더니 시종(時鐘)과 동시에 극동방송의 아침 예배가 시작된다. 목사는 교회에 모인 신자를 향한 일성이 "여러분은 모두가 하나님의 계시를 받고 예수를 믿어 천당에의 길이 열려 있는 신자"라는 설교가 시작되었다.

그래서 나는 누구는 하나님의 계시를 받고 누구는 못 받는 기준이 무엇이냐에 관심이 갔다. 집에 돌아와 내가 생각하는 상식적인 계시를 확인하고자 대한(大漢)사전을 펴 계시(啓示)를 찾아보았다. 사전에 실려 있는 계시(啓示)는 "하나님이 사람 마음을 흐리게 해주는 어두운 구름을 헤쳐서, 진리를 가르쳐 주는 것"이라 적혀 있다.

그래서 하나님의 계시는 교회에 나오면 다 받는 것인지가 궁금해졌다. 교회 목사가 신이 아닌 이상 더 겸손한 설교를 해야 한다는 생각이 들었다.

'내가 이야기하는 것이 하나님의 말씀이니 논하지 말고 무조건 믿으라.'는 논리는 설교 논리가 아니라는 생각이다. 자칭 하나님의 대역자라 자부한다면 적어도 하나님의 은총을 받을 수 있는 다양한 방법론을 성경 말씀에 비춰 가며 설교를 왜 하지 못할까 하는 것이다. 성경에 쓰여 있는 가시적인 것만을 가르치는 시대는 가고, 성경을 도구로 성경 말씀 뒤에 숨어 있는 진리의 본질을 오성(悟性)에서 설교해야 근대인은 따라가리라 믿고 있다.

이는 머리로 시작한 과학이 깊이 들어가면 갈수록 자연의 신비성을 이해한 오성(悟性)에서 마음(魂)을 필요로 한다는 것이다. 신앙인이 되는 첨단 과학기술에 봉사하는 과학자의 신앙을 생각해보면 어떠냐는 것이다. 하나님의 계시가 그리 안이하게 얻어지는 것이 아니라는 생각을 해본다.

미국에 있는 나의 사랑하는 아들의 생일을 축하하며, 아버지

10월 3일 화요일 대체로 맑음 13℃

슬픔과 행복의 양의성은 무엇일까?

아내가 가고 나서

안 하던 일을 해보는 일이 한 두 가지가 아니다.

새벽이면 자다 깨어나도 4시까지는 이불 속에 있어야 했다.

아내가 싫어하기 때문이다.

4시가 되면 일어나

4시 반에 일어나는 아내와 같이 아침 산책을 한다.

6시쯤에 돌아와 아침식사를 하고 나면

7시 15분에 NHK 아침 드라마 2편을 본다.

이것이 우리에게 주어진 일상이다.

이후는 점심, 저녁식사 때 외에는 자기 일하느라

서로 자기 서재에서 일하는 것이 우리의 일상(日常)이었다.

점심시간, 저녁시간이 되면 스위스의 명품시계는

정확히 그 시간을 권유한다.
이상이 생전 우리의 생활 상습(常習)이었다.
한 마디 자기 의사를 남기지도 않고 떠나간 그날은
나에게 하늘이 천둥치는 날이었다.
이후, 나의 생활의 이즘이 달라졌다.
달라져도 확 달라진 것이다.

지금은 새벽 2~3시면 일어난다.
그리고 나의 서재에 와서 생각하며 글을 쓰는 매일이다.
언제나 아침 산책 때 나에게 이야기한
그 직업으로 거듭나는 글을 쓴다.
이것은 나에게 내 마음속에 들리는 천둥소리로,
새로운 인간으로 태어나라는 신호로 들린다.
그것도 광속으로 우주인과 통신하듯이!
그래도 4시 반이 되면 홀로 산책하러 탄천에 나간다.
어두운 새벽녘에 열심히 운동하러 나온 분에게 나를 비춰본다.
그들도 자기 나름의 생각이 있어 나온 사람들,
생각에 잠겨 걷는 모습을 보고 있으면 너무나 아름답다.
하나님이 주신 몸 건강에 감사하며
열심히 사는 사람이라는 생각에서이다.
산책에서 돌아오면 아내가 안 보여서인지
아침 드라마를 보고 싶은 생각이 없어져 안 보게 된다.
아침은요? 저 혼자 해먹어요.
1년이나 스스로 음식을 만들어 먹느라
식사하는 데도 익숙해졌다.

오늘 아침은 윤혜가 주고 간 송편 몇 개와 함께
손수 만든 주스와 커피로 아침을 때웠다.
나머지는 내일 아침 추석용으로 아내와 같이하려 남겨놓았다.

낮에는 무엇을 먹었는지 생각이 나지 않아
저녁엔 목사님 사모님이 주신 설렁탕 요리를 만들어 먹었다.
내일 보름달을 봐야지 하며 침실로 들어가
침상에서 ipad로 리쓰코[律子] 씨에게 소식을 전하고
잠을 청해 이불을 덮어썼다.

인간 능력의 다양성과 자연

2018년 새해를 맞이하면서(Stepping into the year 2018) -과학기술 수상(隨想)

한국정밀공학회 초대 회장, 이봉진(Founder and the 1st President of the KSPE, Bongjin Lee)

정보화 사회에선 현대 의료가 점점 디지털화되어 오늘날 종합병원에서 이루어지는 환자 진단은 매우 간편하다. 의사는 당일 할당된 환자 인원을 소화하기 위해 검사 결과 위주로 빠르게 진료를 끝내야 하므로 담당 환자의 얼굴을 자세히 살펴볼 여유가 없다. 그러므로 의료 진단은 가급적 신속히 처리되고, 바로 다음 대기 환자를 부른다. 진료용 자료는 컴퓨터에서 기계적인 데이터로 처리되며, 환자의 얼굴을 차분하게 살필 일이 없으므로 양자 간의 인간적인

174

정서적 교감도 거의 없다. 의사가 인간인지 기계인지 애매해진 지 오래다. 어쩌면 진료 전문의는 머지않아 'Smart AI 의사'가 대행하게 될지도 모른다.

과거 50년 전 Albert Einstein College of Medicine에서 신경외과 의사로 환자를 접견했을 때의 경험을 살려 <자기 아내의 모자로 잘못 본 남자>를 영화화한 것이 있다. 이 스토리는 Robert De Niro 주연의 영화로 만들어졌다. 이 영화 스토리는 <Awakenings> <Musicophilia (音樂嗜好症)> 등 베스트셀러 작가로 유명한 Oliver Sacks가 신경과 의사로서 자신의 경험을 쓴 것이다.

그의 저서에는 '개인의 「이야기(narrative)」'가 있는데, 인간은 생물학적인 면과 생리학적인 견해에서 보면 하나도 다른 것이 없으나, 각기의 narrative는 다 다르다는 것이다. 이 현상을 학술적으로 추구하는 방법이 있는데, 그것은 앞서 기술한 narrative approach 방법이다. 개인을 마음의 나눔 상대로 바싹 다가가서 진찰하고 관찰해보면 우리는 같은 심장, 간장, 신장, 수족, 그리고 어느 정도는 흡사한 뇌를 가지고 있다.

그러나 뇌와 면역 시스템은 어떤 연령 이상이 되면 다르고, 병 자체도 감상적으로 받아들이느냐 아니냐에 따라 다르다. 다시 말해 사람에 따라 다 다르다는 것인데, 생리학적으로 몸에서 어떤 일이 일어나고 있느냐 하는 것은 개인만이 알고 있다. 편두통만 해도 생리학적인 임상질병이지만 사람에 따라 다르다.

예를 들면 뇌는 일란성 쌍생아(一卵性 雙生兒)라 해도 태어날 때부터 조금씩 다르다는 것이다. 태아의 단계에서 이미 신경세포가 이동하거나 죽어서, 그 단계에서 차이가 있기 때문이다. 그 후, 뇌는 경험에 의해 크게 좌우된다. 수학자의 뇌는 음악가의 뇌와 다르다. 문학자와 예술가의 뇌도 서로 다르다.

환자를 <자기 아내의 모자로 잘못 본 남자>라는 작품은 순간적인 자신의 환각을 소설로 쓴 Oliver Sacks의 저서에 나오는 레베카(REBECCA)라는 19살 젊은 아가씨의 이야기이다. 그녀는 IQ가 60 이하임에도 매우 시적(詩的)인 표현력을 갖고 있어서, 상황에 따라 매우 특출한 인격을 나타냈다. 이를 본 그는 "우리는 환자의 부족한 부분만 집중을 해서, 그가 지닌 능력에 그다지 신경을 쓰지 않는다."고 지적했다. 그래서 그 능력을 살려 개발할 수 있도록 손을 내밀어 주어야 한다고 그의 저서 <Awakenings>에 쓰고 있다.

내용을 보면 그가 치료한 환자 가운데 '기호성 뇌염증(Rncephalitis Lethargica)' 환자가 있었는데, 40년 간 세속을 멀리하고 살던 환자가 놀랍게도 정상인 수준의 적응력과 유연성을 회복했다는 사실이 적혀 있다. 그래서 그는 말한다.

"Dostoevsky는 어떠한 발작도 잘 참아냈다고 한다. 자신의 간질(癲癇, epilepsy)이 가져다주는 한 순간의 환상을 약으로 억제하려 하지 않았다. Dostoevsky와 같은 그에게는 한순간의 가슴 두근거리는 자극적인 세계를 약으로 제거함으로써 아무 것도 없는 회색 세계를 보는 것이 싫었다. 나의 환자 중에는 수학자가 있었다. 그는 일주일에 한 번 꼴로 편두통을 앓고 있었다. 월요일에 일어나 화요일엔 매우 혁신적인 일을 할 수 있었다. 수요일이 되면 두통이 시작될 기미가 보이고, 점차 이것이 점점 나빠져 주말이 되면 구토와 발작이 생겨 희미한 빛마저 견디기가 어려웠다. 그런데 이 발작이 끝나면 심기일전 기분이 일신해져 일종의 소생이 일어나 새로운 창작

176

이 떠오른다고 한다. 그래서 편두통이 생길 때 일부러 두통약을 마다했다고 한다. 이와 같은 예로 말할 수 있는 것은 개인의 몸은 사람마다 다르다는 것이다."

한편 그의 <음악의 기호증>을 보면 '음악의 힘'을 소개하고 있다. 앞서 기술한 '기호성 뇌염 증' 환자도 음악을 들려주는 동안에는 춤도 추고 노래를 불러 음악이 환자를 정상으로 돌아오게 하는 것을 알았다고 한다.

인간의 신경계는 음악의 비트(bit)에 의외로 잘 반응한다. 언어 표현력을 상실한 실어증 환자도 놀랄 정도로 노래를 부른다. 이 현상은 뇌에서 오른쪽 뇌의 기능이 놀랄 정도로 유연성이 있다는 것으로서, 어른의 뇌는 이와 같이 언어의 배위수(자리)가 이동할 수 있음을 알 수 있다. 80살을 넘긴 노인은 대개 가벼운 인지 환자가 많은데, 이들을 정상화하는 데는 음악이 매우 유효하다.

최근의 연구에 의하면 음악의 재능과 감수성은 그 자체가 독립적이어서, 지능이 낮거나 강한 자폐증 환자도 놀랄 정도로 음악적 레벨을 높일 수 있다고 한다.

그래서 인간의 지능은 하나가 아니라, 언어적인 지능, 음악적인 지능, 신체적인 지능 등 여러 개의 지능이 있어 이를 '다중 지능'이라고도 한다.

특히 음악의 지능은 영역이 특정화돼 있다. 수학도 비슷하다. 수학자들 가운데는 현실과 동떨어진 초자연의 세계 속에 사는 사람이 많다. 문학이나 정치의 세계도 이와 비슷한 타입으로 조기(早期) 천재는 나오지 않는다. 이 분야는 경험과 감성, 회고, 자기 확립 등이 중요하다. 언행일치하려는 정치인은 이를 알아야 한다.

18세기 과학자들은 일반적으로 자폐적인 경향이 있었고, 버트 런드 러셀(Bertrand Russell)은 '고등교육을 받은 자 중 제일 행복 한 자는 과학자'라 했다. 왜냐하면 '그들의 뇌는 일의 내용으로 가 득 차 있고, 감정 면에서는 매우 단순하고, 너무 단순해서 먹는 것과 결혼하는 것 외에 취미를 찾지 못하기 때문'이라는 것이다. Oliver Sacks는 과학자의 뇌는 그의 능력이 특정한 영역에 한정되어 있으 므로 자기 뇌의 대부분을 사용하고 있다고 한다.

인간의 능력은 유전자가 결정하는 것일까?

20세기 후반에 들어서면서 인간에게 DNA라는 개인 고유의 유전 자가 있음이 밝혀졌다. 인간은 태어날 때부터 타고난 숙명, 즉 운명 적인 요소가 있다는 사실이 과학적으로 증명된 셈이다. 그러나 이 것도 알고 보면 가변적이다.

Sacks는 인간에게 가장 중요한 것은 어떤 선생님을 만나느냐 하 는 것이라고 말했다. 물론 선생님이라 함은 부모님을 비롯해서 성 장(교육)기에 만나는 스승이다. 그는 선생님과의 관계를 설명하면 서 선생님과 학생 간에 긍정적인 관계, 선생님의 열정이 중요하다 고 말한다. 예를 들어 생물학 선생님이 어떻게 해서 자연이나 동물 에 관심을 갖고 좋아하게 되었느냐와 같은 자신의 동기와 관련된 이야기를 상대방에게 얼마나 재미있고 감동적으로 전하는가, 그의 헌신(獻身)을 상대방에게 제대로 전달하는가에 달려 있다고 했다.

그는 특히 교육환경(nurture)을 강조했는데, 그 이유는 유전자는 환경에 따라 달라질 수 있기 때문이라고 했다. 말하자면 인간의 능력은 유전자와 환경에 따라 변해가며 이 둘의 관계에서 우열을 가리는 문제는 난제(難題)라고 했다. 바꾸어 말하면 경험이 유전자의 발현을 촉발시킨다는 의미다. 한 마디로 생후 이루어지는 epigenesis라는 것이다. 그런 의미에서 과학기술의 발전으로 특히 교육에 영향이 강하다고 생각되는 오늘날의 네트워크 시대의 뇌의 저해가 심히 우려된다. 그 이유는 앞에서도 기술했지만, 인간의 뇌는 매우 놀라운 반응과 적응력을 갖고 있기 때문이다.

요즘은 5살짜리 손자가 할아버지가 할 수 없는 일을 쉽게 해낸다. 그렇다고 아이가 장래에 조부의 문학적인 높이, 감상적인 깊이에 도달하리라고는 예측할 수 없다. 그러므로 오늘날의 이런 훌륭한 가능성과 기대와 위험성이 더불어 공존하고 있다는 것을 교훈으로 삼기 바란다.

인류의 미래를 인공지능(AI)에 맡길 수 있을까?

새해를 목전에 두고 생각하는 주제가 하나 있다.

앞으로 우리 공학자가 지향해야 할 일은 무엇인가 하는 문제다. 지금까지 서로 다른 가치체계를 갖고 있는 것처럼 보이던 예술, 디자인, 과학과 기술을 하나로 융합하는 일에 관해 생각해보았다.

지금까지 과학은 사물 또는 세계가 움직이는 원리를 설명하는 데 여념이 없었다. 기술은 이를 근거로 물(物)을 만들어 인류문명을 유도해 왔다. 더 나은 세상을 꿈꾸었던 기술은 인간의 욕구를 만족시

키느라 공산품에 디자인, 새 문명에 시스템을 구축해 왔다. 그래서 탄생된 것이 AI다. 미디어는 마치 우리의 미래를 AI에 맡길 수 있을 것처럼 광고를 한다. 그러나 우리의 미래를 만들어내는 것은 인간의 마음의 움직임, 감정, 상상력이다. 이들 예술성이 새로운 시계를 밝혀주고, 여태 볼 수 없었던 지평선으로 우리를 유도한다.

공학적으로 정밀만을 추구하고 접근하는 방법에는 한계가 있다. 생물을 이용하고 감지하는 바이오 기술(biotechnology)의 복합융합기술에 새로운 가능성이 있다.

새로운 비전을 창출하려면 마음에 그려내는 En Vision, 심리학, 인지과학, 신경과학, 인공지능, 발달학, 신경의학, 의학, 철학, 미학 등 신체 전체를 기초로 고찰하는 Embodied Approach, 그리고 생명과 생각을 고무(鼓舞)시키는 Inspire 3요소가 복합융합성을 창작하는 데 필요하다.

기존의 상식을 요약하면 꿈에서 그리던 창작, 즉 Embody를 하려면 바이오, 화학, 전자공학, 컴퓨터, 디자인의 전 부분이 관여되고 투영된 것에서 나온 것이 사람들을 감동시켜 준다.

인간의 항구성(恒久性) 창조는 예술과 과학의 융합(融合)에서 생길 수 있다. 심미와 철학을 융합하는 연구자의 원점은 인간미, 감동과 창조에 대한 인간의 심성을 같이하는 정열의 표출이라고 생각한다.

구약성경에 나오는 바벨탑을 상상해보면 인간의 예술과 디자인, 과학과 기술의 스파이럴(spiral)을 상징하는 도형이 있다. 당시 인간은 서로 통하는 이야기를 나눌 수 있었다. 인간의 자만과 죄에 대한 벌로 하나님이 서로 의사소통을 어렵게 하고자 여러 언어로 흩뜨려 놓았다는 생각이 든다. 그래서 현대 과학기술자가 공유해야 하는 믿음은 우리의 수명이 유한임을 어떻게 하면 무한한 미래로

넓힐 수 있을지 생각해야 한다는 것이다. 그것은 인류 시초의 자연어라 할 수 있는 native language, 인류 공통의 언어를 부활하는 데 선도자가 되어야 한다는 것이다.

말하자면 예술, 디자인, 과학과 기술이 융합한 하나의 가치를 다른 분야로 번역(飜譯)해낼 수 있고 또는 각기 다양한 가차관이 일원화될 수 있는 복합기술이 요구되는 오늘이 아닌가 싶다.

이와 같이 인류가 서로 공유할 수 있는 기술을 창조해내는 것이 우리 공학도의 사명이 아닐까 싶다. 인간의 유한한 수명은 우리의 기술이 미래로 무한히 뻗어 나가는 기초를 만들어가는 것이 우리 공학도의 사명임을 깨닫게 한다.

진정한 공산품이란 우리 마음속 깊은 곳에 숨어 있어 보이지 않는 미(美)와 철학과 같은 미의식을 토대로 한 것이고, 이것을 만들어내는 것이 공학자의 사명이 아닌가 싶다.

아내의 신앙과 하나님의 나라

2018년 1월 9일 화요일 맑음 -1℃

    아내를 먼저 보내고 1년이 지났다. 신앙심이 깊은 아내는 하나님이 데려갔다는 이야기를 주변에서 많이 듣는다. 평소 아내의 신앙심이 유별해서 주변 사람들에게는 그리 보였는지 모른다. 그러나 지금에 와서도 나는 아내가 생각하는 하나님을 잘 모른다고 하는 것이 솔직한 고백일 것이다. 하나님이 있다고 믿기에는 이 세상에서 일어나는 일을 보면 확신이 서지 않는다. 그래서 없다고도 할 수 없는 것이 오늘의 나의 신앙의 실재라는 고백이 나의 솔직한 심정일 것이다.

    그러나 내가 전공하는 과학의 최첨단을 보면 확실히 창조주가 있다고 확신한다. 그래서 나는 창조주에게 기도를 하게 된다.

    생전 아내의 일상을 보면 그녀는 확실한 신앙(信仰)을 가지고 있었다. 집안에 무슨 일이 있을 때나, 또는 주변의 이웃을 섬기는 것을 보면 그는 깊은 신앙을 가지고 있었다는 생각이 든다. 그들에게 쓴 편지나 카드에는 하나님에 대한 찬미를 빠뜨리는 일이 없었다. 그것은 그의 신앙심이 보통 사람보다는 마음의 깊은 곳에 자리 잡고 있어서 대개의 어려움에는 마음이 동요하지 않았기 때문이리라.

아내와 같은 사람은 자기의 세계만을 생각하며 살아가는 것이 아니라 보다 깊은 영역, 보다 큰 영역의 사랑을 하고 있다. 그래서 자기 일보다 사회적인 일, 전체적인 일을 앞세워 자기의 몸을 사랑하듯이 사회와 전체를 생각하며, 자기 일처럼 어려운 분을 돕는 일이 사랑이라 믿는 여인이었다. 그래서 그는 자기의 생명을 하나님께 바치고 있었다. 자기의 생명을 바칠 수 있는 사람은 자기 본인 위에 두고, 일반 사람이 모르는 세계에 들어서 있는 것이었다.

내가 혼자 교회에 가서 하나님께 기도하고 싶은 마음이 생기는 것 역시 나도 모르게 아내의 인도에 의한 것이라 생각하게 된다. 기도를 하고 나서 겸손과 자신감을 스스로 느끼는 순간, 이것이 정말로 하나님께서 주신 선물이라는 생각이 들어 행복을 느끼게 된다. 그래서 평생 자신을 누군가에게 맡길 수 있는 삶을 산 사람은 행복한 사람이라는 생각을 하고 있다.

나와 살아온 그의 일생을 보면 그런 생각이 든다. 그는 속세의 모든 것은 남편에게, 내세의 모든 것은 주님께 맡기고 산 여인이었다. 그래서 남편인 나는 그의 아름다운 마음의 순결을 묘사해 '백합'이라는 호를 아내의 별칭으로 지어주었다. 평생을 편히 살아왔고, 하늘나라에서도 편안히 주님을 벗 삼아 살고 있으리라 믿고 있다.

그래서 나는 하나님과 인간을 생각해본다.

하나님은 인간을 사랑한다. 그러나 사람이 다 하나님을 사랑하고 있다고는 생각지 않는다. '그렇다면 어떠한 사람이 하나님을 사랑하고 있을까?' 하고 생각해보는 것이다. 그것은 하나님과 하나가 될 수 있는 사람일 것이다. 그것이 우리에겐 최고의 행복한 순간일지도 모른다.

보통 때, 편안한 때, 그와 같은 경지에서 살기는 그리 쉬운 일이 아닐 것이다. 어쩌면 일반 사람들은 그리 살기를 원하지도 않을 것이다. 그러므로 많은 사람들은 이런 인생이 있다는 것을 모르고 살아간다. 많은 사람들이 인간과 짐승 간(間)의 삶을 영유하고 있다. 그리고 그들은 그렇게 생활하는 것만으로 만족치 않고, 더욱 짐승처럼 살려고 애를 쓰는 경우가 많다.

그러나 그것으로 만족하지 못하는 때도 있다. 그러다 불행이 닥쳐왔을 때, 생활이 어려워질 때, 무언가를 하고 싶지만 뜻대로 되지 않았을 때, 그들은 지푸라기라도 잡고 싶은 생각으로 하나님을 찾게 된다. 그래서 그들은 무언가를 구하게 된다. 인간의 원점으로 돌아가고 싶어 한다. 살아온 길을 돌이켜보며 후회하고 있는 것이다.

그런데 현명하고 사려 깊은 사람은 평소에 몸과 마음으로 모든 일을 동일시하려 한다. 그러므로 어려움이 닥쳐오더라도 그들은 평소와 같이 태연히 대처할 수 있게 된다. 그러니까 그런 사람은 사귀는 사람에게 웃음을 주고 무엇인가 보람 있는 일을 하고 싶어 한다.

말하자면 봉사와 같은 정신을 항상 지니고 있어 보람 있는 일을 하고자 한다. 그래서 어려운 처지에 있는 사람은 위로해주고, 도와주려 하고, 그들과 사랑이 오고가는 일을 하고 싶어 한다. 이와 같은 마음을 가졌을 때 사람은 하나님에게 가까이 다가갈 수 있다고 생각한다.

하나님은 사랑이라 하였다. 인간이 죽을 때도 사랑이 있는 사람, 앞으로 태어날 사람에게 사랑을 품고 세상을 떠나는 사람의 죽음은 아름답다. 하나님의 축복을 받은 죽음이라는 생각이 든다. 나도 아내와 같은 죽음을 택하고 싶다. 하나님에게 모든 것을 맡길 수 있는 인간으로 살고 싶은 것이다. 아내의 일주기를 지나 새해를 맞고 보니 더욱 아내가 훌륭하게 느껴진다.

아내를 그리며.

Fanuc에서의 건배사 제창

2018년 5월 24일 목요일 옅은 안개 11℃

새벽 4시경에 Yoon으로부터 전화가 있었음.

8시 30분 공항으로 가기 위해 집을 떠남. 9시 50분 김포공항에 도착, 공항 라운지에서 시를 쓰면서 시간을 보내다. 12시 30분 예약한 비행기 타러 체크인, 1시 비행기로 김해공항에 2시 도착, 회사 직원이 미리 나와 있었다.

축하연장으로 도착하니 이나바 회장, 권영열 사장, 남궁 사장이 기념사진을 찍기 위해 나의 도착을 기다리고 있었다. 기념촬영이 끝나자 나는 축하 기념식장인 3층으로 올라갔다. 나의 좌석은 맨 앞줄 한가운데였다.

식이 시작되자 축사를 하러 나온 권영열 회장(화천기계그룹)이 축사를 하는데, "오늘의 한국 Fanuc이 있게 한 숨은 공로자가 한 분 계십니다. 당시 KIST에서 일하시던 이봉진 박사가 일본과 한국을 잇는 데 큰 역할을 하며 공로를 세우셨습니다. 이봉진 박사님을 소개합니다."하며 나를 일으켜 세우자 모든 사람들이 박수갈채를 보내주었다.

기념식이 끝나고 일행은 연회장으로 갔는데 거기서 한국 화낙 코리아의 남궁 연 사장으로부터 회식장에서의 건배와 덕담을 부탁받아서 건배사 제창을 하게 되었다.

나의 건배사

생각지도 않게 갑자기 이렇게 건배사를 하라니 준비가 안 된 말씀입니다만 10분만 저에게 시간을 주세요. 10분을 주시면 권영열 회장의 앞선 축사에서 밝히지 않은 사실을 말씀드리고 싶습니다. 우리나라에 첨단 기계제품인 NC공작기계가 어떻게 해서 1977년 여름 세계 최고 권위의 국제전시회(EMO Show)에 출품이 되었는지, 그 비사를 말씀드리겠습니다.

1974년 스탠포드 연구소에 갈 일이 있었습니다. 요즘 유행하는 인공지능을 연구하다 1975년 가을 한국에 돌아오니 연구소장이 저를 부르는 것이었습니다. 연구소장은 대뜸 이북보다 기술이 뒤쳐지면 큰일 나니까 빨리 NC기계를 만들라고 하는 것이었습니다. 나에게 연구비 2,000만 원을 주면서 만들라고 명령한 것입니다. 그런데 제가 2,000만 원을 가지고 무슨 수로 NC공작기계를 만듭니까?

저 나름대로 고민을 하다가 이 회사를 공동 창립하신 권승관 회장님을 찾아뵈었습니다. 그분에게 일반 선반 하나를 기증해줄 수 없겠느냐고, NC공작기계 개발 계획의 전모를 말씀드렸더니 쾌히 저의 부탁을 수락하여 보통 선반 하나를 기증받았습니다.

기증받은 보통 선반을 NC기계용으로 개조하였습니다. 여기 필요한 NC제어기를 화낙사에서 구입하였더니 어느 날 이바나 사장이 나를 초대하였습니다. 자기와 같은 연구를 하는 사람이 한국에 있다고 하여 궁금하였는데 알고 보니 동문(同門)이었다는 것입니다. 나를 환대하면서 이나바 사장은 우리가 구입한 선반의 NC제어 도면을 나에게 주셨습니다. 도면을 나에게 주시며 그는 'For academic use only(학술용으로만 쓸 것)'라고 적힌 용지에 사인하라면서 그것을 저에게 주셨던 것입니다.

생각지 않았던 도면을 가지고 와서 그것을 해석하고 연구하며 기계와 기계가 대화하는 인터페이스를 개발하였습니다. 그리고 제어의 요점, 하얗게 공백화(空白化)되어 있는 Custom LSI 부분의 제어 알고리즘, 신호 흐름의 전후 로직을 생각해 우리가 개발해낸 제어 로직은 11차 국제학술대회인 ISIR에 1981년 발표하고 있습니다.

당시 개발한 국산 산업용 로봇의 제어반은 이것이 사용되고 있습니다. 이 논문을 본 미국 국방성은 저를 1983년 이탈리아 Pisa 근처 산악 지대에 있는 International Convention Center에서 열리는 우방국 로봇 전문가 심포지엄에 초대했고, 저는 그 심포지엄에 갔다 온 적이 있습니다.

이나바 명예회장이 주신 도면은 아직도 제가 가지고 있습니다. 이런 경로를 거치는 개발연구 과정에서 우리나라 최초의 NC공작기계가 1976년 1월에 개발되어 공개되었던 것입니다.

권승관 회장님이 개발한 NC공작기계가 숙련공의 일손을 빌리지 않고 자동으로 돌아가는 것을 보고 감명을 받아 저에게 이런 기계를 하나 만들어 달라고 부탁하였습니다. 그래서 저는 KIST와 용역계약을 맺게 하고 저의 연구실과 화천이 공동으로 개발해낸 것이 한국 최초로 상품화된 NC공작기계였습니다(1977년 5월 28일 서울경제 참조).

이것이 1977년 6월 22일 여의도에서 열린 제1회 한국기계전시에 KIST와 화천의 공동 개발한 국산 공작기계가 출품된 전말이었습니다. 이 기계가 아까 말씀드린 대로 그 해 시카고에서 열린 EMO Show에 출품한 우리나라 최초의 첨단 CNC(컴퓨터 제어) 공작기계 모델입니다. 국산 제1호 CNC 공작기계를 국제무대에 출품시켜 선보인 기업이 바로 화천기계입니다. 여기에 권승관 회장님의 아드님 권영열 회장이 와 계십니다. 이분에게 박수를 보내주십시오.

(우렁찬 박수를 받았다.)

여기에 화낙의 이나바 세이우에몽 명예회장의 아들 현 화낙 이나바 요시하루 회장이 와 계십니다. 이나바 회장님 일어서 주십시오. 이분에게도 박수를 부탁드리겠습니다.

(우렁찬 박수가 나온다.)

이분의 아버님은 저와 같이 부여에 있는 백제 왕릉을 간 일이 있었습니다. 그때의 일입니다. 왕릉 관리인을 부르더니 그분에게 돈을 드리면서 "여기에 좋은 나무를 하나 심어주십시오." 하는 것이었습니다. 그 이나바 박사님은 저를 보면서 "이 묘가 어쩌면 제 조상 묘인지도 모릅니다." 하고 말씀하셨습니다. 오늘 이나바 요시하루 회장님이 축사에서 "한국과 일본 사이에 이렇게 공통되는 DNA가 있어서 회사가 커진 것 같습니다." 하고 말씀하셨던 것처럼 우리나라와 일본은 이러한 DNA를 공유하고 있는 것입니다.

"우리가 이런 의식을 가지고 양국이 노력한다면 앞으로 50년,

100년을 내다보고 회사가 크게 비약(飛躍)하기를 바란다."는 말씀이 있으셨습니다.

저의 나이가 지금 몇 살인 줄 아세요? 저의 나이는 86세입니다. 내가 어떻게 앞으로 50년, 100년을 살겠습니까? 그러나 우리의 후배들이 두 나라의 DNA를 소중히 여기고 두 회사가 합심한다면 두 회사는 더욱 큰 회사가 될 것입니다. 이런 꿈은 우리 후배들에게 맡기고 이 꿈의 실천을 위해서 건배를 제안하고 싶습니다.

"이 꿈이 이뤄지기 위하여!" 하고 제창하면, 여러분이 따라서 "위하여!"하고 건배를 해주십시오.

나는 앞을 바라보며 건배 잔을 들었다. 내가 "꿈을 위하여!" 하니, "위하여!" 하는 우렁찬 소리가 뒤를 이었다. 그 순간 잔이 서로 마주치며 건배하는 소리가 이곳저곳 테이블에서 들리고, 소리의 여음(餘音)의 파장이 대연회장의 공간을 채워 서로의 의지를 다짐하는 것 같았다.

芸術은 길고, 人生은 짧다

2018년 6월 5일 월요일 - 옅은 안개 19℃

사랑하는 내 아들 윤철 읽어 보아라

Art is long, life is short.

'芸術은 길고, 人生은 짧다.'는 구절은 이차대전이 종결돼 해외에서 중학교에 다니다 고국에 돌아와 고향에 새로 생긴 오현중학교 2, 3학년에 편입 시험을 칠 때 국어 문제에 나온 한 구절이다. 나는 중학교 입시 시험을 보러갔을 때 이 구절을 처음 알게 되었다.

오늘도 새벽같이 탄천을 걸으며 산책을 한다.
어두운 새벽길 가로등 불빛을 벗 삼아
등불을 셈하며 산책을 한다.
그러다 고개를 들어 하늘을 쳐다보면,

늦은 봄날의 맑은 하늘에 외로이
혼자 떠올라 환히 비춰 주는 둥근달이
나에겐 외롭고 슬퍼 보인다.
그러나 새벽녘의 밝은 달빛은
나의 희망 행로를 비추고 있는지도 모른다.
주변의 산 봉오리 위에 떠오르는
맑은 하늘의 서광(曙光)이 너무 아름다워
나에겐 여명(黎明)의 불빛처럼 느껴진다.
나도 모르게 발길은 강변에 있는
'아름다운 교회'에 와 있었다.
나는 이곳에서 새벽 기도를 하였다.
아내를 위해 언젠가 가면 아내와의 재회를 위해,
그리고 사랑하는 아들을 위해 기도를 하며 울었다.
주님께 나의 소원을 빌며 새벽 예배를 같이 했다.
예배가 끝나자 '아름다운 교회'를 나와 나는
탄천 강변의 잡초 속에 수줍어하듯 숨어
아름답게 피어 있는 야생화의 사진을 찍었다.

색색 빛으로 옷 입은 이 야생화가 너무 아름다워!
이를 비춰주는 여명(黎明)의 태양빛 아래
잡초 속에 피어 있는 꽃이 아름다워
잡초를 헤치며 꽃 이름[名]도 모르는
야생화를 만지며 그 아름다움을 간직하려고
하얀 꽃, 파란 꽃, 노란 꽃, 분홍 꽃
이름도 모르는 이 꽃들의 사진을 찍으며 집으로 왔다.

그러던 중 어쩌다 강물 위를 날아다니는 학,
또 하나의 당신-another you-이
강물을 양 날개로 치며 지나가는 학 소리는
마치 아내가 반겨주는 속삭임.
"여보, 우리 애들 윤철, 윤지, 윤혜 잘 있어요?"
묻는 것처럼 들리는 소리가 나를 눈물겹게 해
강변의 아름다운 봄철의 광경을 흐르게 해 버린다.

짧은 인생? 인생이 짧다는 생각이 들었다!

봄이면
계절 따라 피는 야생화,
그 어려운 겨울의 추위를 이겨내고
봄이 왔다고 온 주변에 향을 뿌리고도 모자라
감추었던 모습까지 보여주는 아름다운 마음!
짧은 인생에 희망을 주는 야생화들
그의 일생은 한 계절이었다.

여름이면
계절 따라 피는 야생화,
여름이 왔다고
봄철의 차가운 계절풍을 이겨내고
제 능력을 과시하려는 것처럼
제 모습을 뽐내고 향을 뿜으며
그러나 그의 일생도 한 계절이었다.

가을이면
생각나는 것이 있다.
나의 집 화단의 꽃과 식목들이다.
꽃 피우고 향을 뿜으며 우리를 즐겁게 해주던
그들도 다가올 겨울 지날 준비를 한다.
예쁘게 피었던 꽃봉오리를 접자 무성했던 잎도 시들지만
정성껏 심은 은행나무는 아름답게 단풍잎으로 갈아입어
우리의 눈을 즐겁게 해준다.
그 속에서 자란 상록수의 무성함은 나의 희망이었다.
우리를 즐겁게 해주던 화단의 백합, 난(蘭), 장미꽃,
그러나 그들의 일생도 한 계절이었다.
무심코 독야청청한 상록수가 생의 의지로 비친다.

겨울이면
아름다웠던 꽃은 간 데 없고
무성한 나뭇가지에 달려 있던 색색 옷의 단풍이
조석(朝夕)의 산들바람도 못 이겨내고
하나둘씩 떨어져 가버리는 낙엽들
동절의 추위를 피해 겹겹이 쌓이고 모여
겨우 숨 쉬며 움츠려 있는 가랑잎 위에
초설의 하얀 눈이 내려 모두 하얗게 감싸주곤 한다.
오는 봄을 기다리라고! 달래듯!

이 4계절의 아름다운 모습이
미(美)이고 예술(藝術)성인가?

예술은 길다고 하듯 제 계절이 오면
새로운 모습으로 우리를 즐겁게 해주는데,
인생은 겨울이 오면 가야 하는 것일까?
참으로 인생은 짧은 것일까?
그래서인가. 인생은 4계절인데,
예술은 4계절 반복되어도 끝없는 예능(藝能)인가?
Life is short, art is long. experience, treacherous, judgment
and difficult.

2018. 6. 17 윤철의 E-mail를 읽고.

RE:「芸術은 길고, 人生은 짧다」

받은날짜 : 2018-06-05 (화) 09:45
보낸사람이윤혜<0129haru@naver.com>
받는사람이봉진(Lee/BongJin)<bjlee9988@naver.com>

시 잘 읽었어요.
아버지 쓸쓸한 마음이 느껴져서
마음이 아픕니다.
화려했던 것들은 언젠가 모두 사라지는 게 자연의 섭리겠죠.
영원하지 않고 사라지니까
그래서 소중함을 느끼는 것이라고 생각합니다.

행복했던 그리운 시절 떠올리며 미소를 지으세요.
그런 시절이 있었지~ 하구요
너무 슬퍼하지는 마세요.
내 인생 그 시절 그 한때 나에게 주었던 큰 기쁨에 감사하고
'또'라는 한 발자국을 내딛어야 한다고 생각해요.
저는 싱글이던 시절,
엄마 아빠의 딸로 걱정 없이
공부하고 살던 시절이 가끔 그립습니다.
너무 일찍 가족이 흩어져서 저는 늘 외롭다고 느꼈지만
지나고 보니 그것도 다 행복한 투정이었다고 생각이 듭니다.
지금은 돌아올 수 없는 그 시절
꿈에 나타나는 엄마는 그래서
제 어린 시절의 엄마의 모습인 것 같습니다.
아쉬운 것도 많고 후회도 많고
부끄러움도 많은 인생이지만
열심히 앞만 보면서 나아가야겠죠.
아버지도 부디 힘내세요.

사랑하는 아버지

보낸사람 Yoon Lee<ylee911@gmail.com>
받는사람 이봉진(Lee/BongJin)<bjlee9988@naver.com>

사랑하는 아버지.

답변 대신 시를 쓰셨군요! 아버지의 감성, 마음 깊은 사랑이 보이네요. 글 가운데 문득문득 슬픔도 읽혀져서 저로 하여금 아버지한테 슬픔을 가져다 드리면 안 되겠다고 생각하게 했습니다.

인생은 짧고 긴 것을 떠나 얼마나 기억되도록 살았느냐고 생각하면서 살겠습니다.

아버지 멋진 시 잘 읽었습니다.

그럼 또 연락드리겠습니다.

사랑하는 아들 올림

※새벽 03시, 일어나 윤철의 e-mail, 하염없이 흘러내리는 눈물을 닦으며 읽어보았다. 04:32

(삼성 갤럭시 스마트폰에서 보냈습니다.)

오늘의 첨단기술을 말한다

−2018년 추기 학술대회
−한국정밀공학회 초대회장 Fellow 이봉진

부모 없이 생명체가 탄생되는 날?

미국 국립위생연구소(NIH)의 연구원 Craig Venter(1946~ . 유전학자. 현재 유전자(遺傳子) 비즈니스의 미 벤처기업)는 공적 팀의 <Homo sapiens 合成計畵>, 즉 인간의 염색체(染色体) 유전정보, DNA 배열 모두를 해독하고 염색체의 유전 정보를 분명히 밝히는 계획을 비웃듯이 2018년 4월 22일 Homo sapiens, 인공 생명체 <minimal-cell>의 작성(作成) 연구를 다 마쳤다고 선언하였다. 20년 만에 이루어낸 대 성과였다.

인체의 전 염색체를 구성하는 약 30억 염기 deoxyribonucleic acid, DNA。 Homo sapiens에는 전 유전자 약 2만 5천의 정보를 기록하는 코드 영역과 유전정보를 전하지 않는 비(非)코드 영역이 있음을 알아냈다.

지구상의 모든 생물은 분열(分裂)을 포함한 생식(生殖)으로써 부모로부터 직접 유전자 genome을 이어 받아 세상에 태어나게 된다.

그러나 Craig Venter가 공개한 <minimal-cell>은 genome을 수여해준 친부모가 없다. 자연계엔 같은 genome을 가진 세균이 존재하지 않는다.

말하자면 이것은 성장 진화의 긴 계통수(系統樹)에서 벗어난 이질적인 존재라는 것이다.

그러나 이것은 스스로 분열하고 그 과정에서 genome을 복제할 수 있다. 인간이 설계한 인공 genome인데도 불구하고 자연계의 생물과 같이 자손에게 그것을 전수할 수는 있다.

생명의 필요조건 중의 하나인 세포분열로 유전정보를 복제할 수도 있다는 것이다.

앞으로의 합성생물공학(Synthetic Biology)이 부모 없는 생명체의 탄생 가능성을 계시(啓示)하는 사건(事件)이라 할 수 있다. 이 새로운 지식은 장차 인간이 마음만 먹으면 부모 없는 생명체를 만들어낼 수 있다는 것이 된다.

Minimal-cell 탄생의 의의(意義)

Minimal-cell의 탄생은 이중(二重)의 의미(意味)를 가지고 있다. 그 하나는 "최소의 세포가 합성생물학에 의해 인공적으로 만들어졌다."는 것이다.

컴퓨터상에서 genome을 설계하고, 이어 genome이라는 디지털 설계도에 따라 DNA를 제작하는 공학적인 수법을 사용함으로써 합성생물학의 개념을 종전보다 높은 차원에서 구명할 수 있었다는 것이다.

다른 하나는 minimal-cell을 구성하는 473개의 유전자 중에서 324개는 여러 가지 단백질을 만드는 것 외에 세포 내의 대사(代謝), 세포막의 구성과 기능, genome 정보의 보존 등을 관리하는 기능을 가지고 있다.

그런데 32%나 되는 나머지 149개는 종전엔 어떤 기능이 있는지 전혀 알려지지 않은 유전자였다. 그러나 그 유전자 중에는 인간을 포함한 다른 많은 종류의 genome에도 공통으로 존재하고 있는 것도 있었다는 것이다.

자연의 신비가 심원함을 세삼 이 분야 서구 연구자를 자각케 하는 사건이라 할 수 있다.

이 새로운 사실은 이 분야 연구자는 물론 생물공학 지식을 가진 사람에겐 매우 충격적인 것으로, 종전의 생명에 대한 과학적인 설명이 재검토되고 새로운 생명의 정의가 모색될 수밖에 없게 되었다. 따라서 인류의 생명에의 이해가 더욱 심화되리라고 예측된다. 또한 일부 합성생물학자들 간에는 정보혁명 다음의 산업혁명의 주역은 합성생물학일 것이라는 주장이 나오고 있다. 다시 말해 산업의 주역이 오늘의 인공지능로봇에서 합성 인공생명체 시대로 대치된다는 이야기다.

합성생물학의 행선지는? 첨단 과학기술에 대한 걱정(懸念)

과학사를 살펴볼 때 인간은 자연을 관찰하고, 자연으로 배워, 거기서 얻은 지식과 기술로 자연을 교묘히 개조해서 문명을 창조해왔다.

21세기 인공지능 시대, 스마트한 문명의 구현을 환상하는 사회를 만들려는 꿈의 연장선에서 생물학은 생물공학으로 발전해 간다. 자연히 생물학도 비(非)생물계 과학의 상도(常道)인 공학적인 융합화 방법을 도입하여 생물학이 합성생물학으로 발전해 가는 것도 과학기술 발전의 상도라 할 수 있다.

이 행위는 알고 보면 자연을 이해하고 자연에 도전하는 것으로, 아침마다 일어나 자가의 얼굴을 거울로 보듯이, 과학기술의 현실과 현재의 상(像)을 서로 관찰하고 비교하면서 상을 수정하는 행위와 같은 일종의 개선·수정 행위라 할 수 있다. 말하자면 그때마다 발상의 원천으로 공학적인 본질인 '무언가를 만들어 보는 일'임을 알 수 있을 것이다.

그래서 필자는 이 행위를 보다 미화하려 자신의 얼굴을 거울에 비출 때 곱게 보이려는 일종의 화장술이라 생각하고 있는 것이다. 자연을 이해하고 자연에 대해 새로운 도전을 하는 것은 마치 거울의 양면처럼 서로의 상을 비추고 반사하며 앞으로, 앞으로 가고 있는 것이 첨단 과학기술이라 할 수 있다.

이런 과정에서 '툭' 하고 태어난 것이 생명의 설계도 genome을 이리저리 작성해보고 인공 genome을 가진 생물도 만들어보는 일이 과학기술 발전의 상도일 뿐이다. 최근 <minimal-cell> 작성의 성공은 생물학의 새로워지는 기원이 될 수 있다.

예를 들어, 현재 행해지고 있는 합성생물학의 학생 콘테스트

'iGEM'이라는 재단이 있다.

이 재단은 참가 학생들이 미생물을 사용하여 '생물기계'를 만드는 경합대회를 열고 있다.

이 대회의 취지는 윤리(倫理)와 규칙, 사회와의 대화를 배우는 데 있다고 한다. 이로써 학생들은 서서히 자연스럽게 생명의 조작을 배우고 생명기계가 기계와 다르다는 것을 배우게 된다.

그러나 생명 조작을 배운 이들이 사회에 진출하였을 때 사회가 받아들일지는 의문이다. 그 이유는 세포, 미생물에 관해서 이야기하면 이는 단순한 기술에 불과하다.

한 마디로 요약하면 '기계'인 것이다. 바이오 연료, 의약품, 새로운 소재를 생산해내는 일은 좋은 일이지만, 세포를 단순한 기계처럼 사용한다는 데는 의문이 생기는 것이다.

그럼 세포 머신을 사용하여 인간의 장기를 제공하기 위한 인간을 만든다? 아니, 지구에서 탈출하고 싶어 그래도 인간이 살 수 있다고 보는 혹성(惑星), '화성'으로 이주해 살고 싶다는 사람을 화성에 가서 살 수 있도록 인간 개조를 한다면 어떠한가?

화성에서 살려면 화성의 환경에 대한 적응력을 갖추도록 체질을 바꾸어야 한다.

예를 들면 지구보다 강한 방사능에 견딜 수 있는 체질을 만들어준다? 이를 해결하려면 방사선에 내구성을 가진 유전자가 불가결이다. <minimal-cell>의 등장은 이런 일을 가능하게 해주는 데 동원될 수 있다는 것이다.

예전부터 위대한 예술이나 문학은 미래를 예측하는 힌트를 주곤한다. 2017년 일본계(日本系) 영국인 kazuo-ishiguro의 노벨문학상 수상작이 그 일종이라는 생각이 든다.

<Never Let Me Go(나를 놓지 마세요)>가 오늘의 과학과 사회의 관계를 연상시켜, 합성생물학의 미래를 예상케 하는 장면이 있다. 그 소설의 내용을 살펴보자.

「장기 제공자로 태어난 주인공 여성 갸시가, 같이 자란 연인(戀人)과 같이, 언젠가 시설을 종종 방문했던 수수께끼의 '마담' 집을 방문한다.

서로 사랑하고 있다고 믿는 이들 장기 제공자는 자신의 장기를 제공하기에 앞서, 단 둘이서 지내고 싶은 3년의 '유예(猶豫)'-시설 내에서 듣고 있던 소문에 희망을 걸고-를 청원하러 갔던 것이다. 두 사람의 희망의 꿈은 무참히 부서지지만, 갸시는 최후에 오랜 기간 마음에 걸려 있던, 지난날의 일을 '마담'에게 물어본다.

시설 기숙사(寮)에서, 아직 소녀였던 갸시가 음악을 들으며 혼자서 춤추고 있을 때, 우연히 그곳에서 목격한 '마담'이 울고 있었다. 곡은 <나를 놓지 마세요>라는 제목이었다. 아이를 낳을 수 없는 줄 알고 있었던 여자가 기적적으로 아이를 출산해서, 기쁨과 함께 내 아이가 나에게서 떼어져 헤어지게 되면 어쩌나 하는 일말의 불안과 두려움에서, 아가를 꼭 껴안고 "아가야, 아가야, 나를 놓지 마라." 하고 노래하는 곡이다.

갸시는 곡이 그런 내용인 것으로 해석하고, 태어날 때부터 생식 기능을 가질 수 없게 만들어진 자신의 처지를 생각하며 곡에 맞추어 춤을 추고 있었던 것이다.

"그때 '마담'은 나의 마음을 읽고, 슬픈 노래라 생각해서 눈물을 흘렸던 것이 아닌지요?" 하자 '마담'은 아니라며 이렇게 이야기한다.

"당신(貴女)이 춤추고 있는 것을 보고 있을 때, 나에겐 다른 것이 보였어요. 새로운 세상이 발 빠르게 다가오는데, 과학이 발달되고, 효율도 좋아지지요. 오래된 병은 새로운 치료법이 생겨 치료가 됩니다. 참으로 대단한 일이지요. 그러나 무자비(無慈悲)하고, 잔혹한 세상입니다. 거기에 이 소녀(少女)가 있었지요. 눈을 굳게 닫고, 가슴에는 오래된 세계를 안고 있었어요. 마음속에서는 사라져가는 세계임을 알고 있으면서도, 그것을 껴안아 놓지 않고, '놓지 마세요.' 하고 간원(懇願)하고 있는 것처럼 보였어요."

과학의 급속한 발전으로 내버려진 오래된 세계, 사라져가는 세계의 가치관과 심정(心情), 두 번 다시 돌아오지 않는다는 현실에 대한 생각이 '마담'을 통곡하게 만들고 있는 것이었다. 마음의 고통에 공감이라 할까, 갸시의 자그마한 소망도 받아들이지 못하는 이런 현실과 장면이 더욱 통절케 한다. 학생의 대우를 개선해 보려 몸을 아끼지 않고 애를 써준 '마담'마저 그들을 최후까지 자기와 같은 '인간'으로는 보지 않았다는 것이다.」

Craig Venter는 의기양양하게 20여 년간의 연구 끝에 genome을 <읽고 : reading>에서 <쓰기 : writing>로 이행하는 합성생물학의 조류는, 인류에 대해선 필연적인 것이라 이야기한다. 그리고 그는 이번에 보여드린 합성생물학의 조류는 앞으로도 그렇게 흘러갈 것이라는 예언도 한다.

새로운 기술을 짜내고 그것을 인류를 위해 응용하고 이용하는 능력을 지성이라고 부르면 Craig Venter가 말하듯, 인류는 동물과 달라서 지성을 가지고 있다고 할 수 있다.

그러나 생명을 다루는 기술과 지식을 구동해 생명의 설계도를 개

변(改變)하고 진화의 새로운 일꾼이 되려면 또 다른 차원의 지성이 필요할 것이다.

일진월보(日進月步)로 발전하는 기술의 흐름을 파악하고 그 응용이 목적과 부합하여 적절한 것인지 심중히 공론화해야 한다. 사회 전체와 협력하여 악용(惡用)과 오용(誤用)을 방지하기 위해서는 때로는 일시 중단하고 생각을 해야 하는 지성의 역할이 필요하다. 그렇지 않으면 합성생물학이 가져다주는 미래도 '무자비하고, 잔혹한' 세계에 빠지지 않는다고 장담할 수 있는 기술이라고 이야기할 수 없다.

태타(怠惰)와 정애(情愛)

나의 좌우명(座右銘)

학생시절 나는 항상 규칙적인 생활을 좋아했다.

책상은 항상 정리·정돈되어 있었고, 공부해야 할 일을 당일에 하지 않으면 참지 못하는 성격이었다. 규칙적인 생활로 인해 나는 친구와 놀러 다니는 자유로운 시간을 많이 가질 수 있었다. 그 시간에 나는 야외생활을 활발하게 해 어린 시절 못 해본 운동이 없을 정도다.

이렇게 유년시절의 생활 습관을 지속하였는데 대학에 진학하면서 유식해져, 나의 좌우명을 4글자의 한자어로 만들었다. '극기태타(克己怠惰)'가 바로 내가 정한 나의 좌우명이다. 이는 내 맘속의 태타(怠惰)와 매일 같이 싸워 이기자는 뜻이다.

대학시절도 이 습관, 극기태타가 나의 생활 의지가 되어 자신의 일상을 자제하는 토대가 되었다. 이는 학업을 계속하는 데 많은 도움이 되었다. 나의 좌우명은 '평생 내 맘 속에서 틈만 있으면 게으름 피우려는 유혹과 싸워 이기는 일!'이다. 이렇게 일상적인 유혹에 대한 내심의 갈등을 이겨내면 그날의 나의 마음은 맑은 날이었고, 이를 어기고 지키지 못한 날은 마음이 흐린 날이다, 하며 살아왔다.

그래서인지 나와 결혼한 아내는 나를 항상 '화를 안고 사는 불쌍한 사람'이라고 생각했던 것 같다. 아내는 나의 정체를 정확히 파악하고 있었다는 생각이 든다. 아이들이 아버지의 약속은 '실천되어야 믿을 수 있는 약속'이라고 생각하며 아버지와의 약속에 신뢰가 없었던 것도 당연하다는 생각이 든다.

그러나 이 나이가 돼서 입고 있던 옷을 벗고 거울에 나의 늙은 모습을 비춰보면 새삼 젊었을 때 나의 모습이 사방에 어떻게 투영(投影)되었는지 궁금해진다. 최근 우연히 독서를 하며 읽어본 한 구절 '태타의 배신'을 사색하며 나에게 태타(怠惰)의 정체는 과연 무엇이었나를 나름대로 적어보았다.

태타(怠惰)와 정애(情愛)

절친(切親)한 친구 둘이 한 여성을 같이 사모하게 되었다. 두 친구의 이름을 한 사람은 이(李), 다른 사람은 김(金)이라 하자. 허나 김(金)은 나이는 같으나 학교 선배로서 이(李)는 김을 배움의 선배로 존경하고 있었다.

둘은 서로가 같은 여성을 사모하고 있는 것을 저마다 눈치를 채고 있었다. 그러나 둘은 한 여성(女性)으로 자신들의 우정이 헤쳐지는 일은 없을 것이라 자부하고 있었다. 연인을 멀리해버릴 망정 자신들의 우정을 제일로 생각하는 믿음을 가지고 있는 둘이었다.

어느 날이다. 김(金)이 용기를 내어 이(李)가 없는 틈을 이용해 꾀병을 부려 간호하러 온 연인(戀人)의 어머니와 대화를 할 기회를 만들었다. 그때 김(金)은 연인의 어머니 앞에 무릎을 꿇고 간청을 한다.

"따님을 저에게 주십시오. 저의 아내로 삼고 싶습니다."

갑자기 의외의 간청을 들은 어머니는 당황한다. 결국 김(金)의 간청을 받아들이며 "네, 드리겠습니다." 하고 내뱉었는데, 곧바로 자신이 내뱉은 말을 정정한다.

"'드립니다.' 하고, 으스대는 이야기를 할 처지가 못 됩니다. 네, 내 딸을 받아주십시오. 아시는 바와 같이 내 딸은 아버지가 없는 가엾은 아이입니다."

이와 같이 대답을 하고, 자기 딸에게 이 사실을 알렸다.

구혼의 계획은 성공적으로 잘 마쳤지만 김(金)에게는 새로운 고민이 생겼다. 여인을 택함으로써 우정을 버릴 것인가, 하는 양심의 고민이 생기게 된 셈이었다. 꾀병을 부려 이익을 챙긴 것이 인간으로서, 친구로서 할 일이 아니고, 자신이 비겁하다고 느껴져 그는 친구 이(李) 앞에 무릎을 꿇고 사실을 고백하며 사과를 해야겠다는 새로운 고민을 하게 된다.

언제나 연인보다 우정을 제일로 맹세하던 두 사람이어서, 이 심성의 고통은 참기 어려웠다. 그래서 이 일을 어떻게 설명해야 하나 하는 변해(辨解)의 어구를 찾게 된다. 그러나 그는 이(李)와 마주 앉자 아무런 변호(辯護)도 이야기하기가 꺼려졌다. 마침내는 '비겁했던 자신의 비겁하였음을 이야기하기가 싫어진다.'

이때 권태(倦怠)와 태타(怠惰)라 할 수 있는 감정은 두 사람의 우정을 깨는 힘을 가지고 있었다.

그러나 나는 때로는 권태(倦怠)와 태타(怠惰)도 우정을 유지하는 한 수단이라고 이해할 수도 있다는 생각이 들었다. 시간이 약이라고, 의식적으로 친구의 감정을 배려한 의식적인 태타라 생각해보면 일시적이나마 약효가 있다는 생각이 든다.

하나님의 말씀을 빌면 권태(倦怠)와 태타(怠惰)는 사랑을 해치는 것이기 때문에 크게 훈계해 근면(勤勉)하라고 하였다. 그러나 여기서 말하는 삼각관계에 있는 친구의 권태(倦怠)와 태타(怠惰)의 대구(對句)는 근면이 아니라 정애(情愛)가 아닌가 하는 생각이 든다.

삼각관계로 우정을 깨트리지 않기 위해 자백에 게으름 피는 행위, 즉 태타는 일종의 정애(情愛)라는 것이다. 그런 의미에서 태타는 양날의 칼이라 할 수 있다.

한편으로는 정애라는 선한 마음이 있는가 하면 다른 한편으로는 자기의 이(利)를 위한 배신이기 때문이다. 그래도 나는 잠시나마 마음을 주는 정애에 감사하며 살아야 한다고 생각한다. 나의 좌우명도 한쪽만 보이는 것 같다! 나의 탓인지도 모른다.

이 글과 연계해서, 아버지와 어머니, 아버지와 아이들과의 평화에는 태타라는 정애가 필요함을 느끼게 하는 요즘이다. 나이가 들어 외로워서인지도 모른다. 사랑하는 아내도 없는데! 이런 남편과 살아온 아내 생각에 새벽마다 이런저런 생각을 떠올리는 것도 정애(情愛)인가? 그래도 생각을 멈출 수 없다.

항상 일요일 9시면 내가 보는 해외의 위성방송 프로를 단념하고 가정의 평화를 위해 아내와 같이 갔던 교회! 이제는 하늘나라의 아내를 즐겁게 하겠다는 내심을 정하고, 새벽기도를 하러 교회에 가야지, 가야지 하고 다짐한다. 그런 다짐을 하며 교회 갈 준비를 한다.

그래서 나는 새벽 교회의 십자가 앞에서 아내를 위한 기도를 한다.

예배가 끝나자, 나는 또 아내를 위한 기도를 하고 교단을 나왔다. 비 내리는 아침 우산 위로 떨어지는 빗소리를 아내의 목소리로 삼아 혼자 중얼거리며 집으로 왔다. 우산에 묻은 빗방울을 훨훨 털어버리고 나니, 혼자서 무슨 이야기를 하였는지도 잊어버렸다.

정애(情愛)란 이런 것인가?

우산 위에 매달려 있는 빗방울 같은 것인가? 땅에 떨어져 버리면 흔적도 없이 사라져 버리는 빗방울! 시간이 지나면 맑아지는 하늘처럼! 그러나 정애는 잠시나마 마음을 달래준다. 지금 나에겐 새벽의 이슬 같은 정애나마 그리워진다.

2018년 공항으로 떠나기 전에 씀. 새벽 2시 47분

Markus Gebrie의 《신실재론(新實在論)》을 읽고

2018년 7월 23일 월요일 대체로 흐림 32℃

Markus Gebrie는 독일 Bon대학의 철학과 교수이다. 그가 최신 출판한 사상서(思想書)인 《신실재론(新實在論)》이 세계적으로 주목을 받고 있다. 이를 간략하게 소개하고 서평(書評)을 해 보기로 한다.

다양성(多樣性)에 관하여

Markus Gebrie는 현 자본주의는 욕망(慾望)이 욕망을 낳게 하는 세계라 평하고, 지금 자본주의의의 규칙(規則)을 바꿀 때라 하였다. 다시 말해 새로운 세계는 윤리(倫理)가 우선하는 세계가 되어야 하고 윤리가 우선하는 지성(知性)이 새로운 세계의 가치관을 만들어 이를 토대로 한 경제, 신자본주의를 생각할 때가 되었다는 것이다.

이를 읽으면서 칼 마르크스(Karl Max)가 《자본론》을 쓸 적엔 과학기술에 대한 통찰력 미숙으로 상품이 노동자의 땀으로 생산되는 것으로 보았고 오늘날 상품의 구성요소를 잘 모르고 있었다는 생각이 들었다. -좋게 평해서- 아니면, 알고 있으면서도 공산주의 세계관이 그의 사상이었기 때문에 이를 제창한 자라고 할 수 있다.

당시에도 여러 경제학자들이 칼 마르크스의 《자본론》의 불완전함을 지적하자 그는 이를 제2편에서 수정하겠노라고 약속했지만 얼마 안 돼 그가 세상을 떠나는 바람에 이 약속은 무산되었다. 칼 마르크스의 후계자로 이를 계승한 레닌은 이 구절을 칼 마르크스의 약속대로 수정하면 진행 중인 프롤레타리아 러시아혁명의 선전 구호가 실속을 잃을까 염려해 의도적으로 이 구절의 수정을 피했다.

현대사를 보면 남미의 혁명들도 이런 혁명수단을 썼지만 실패하고 말았음을 우리는 알고 있다. 최근 새 자본론을 쓴 프랑스의 경제학자 Tomas Piketty는 자신의 저서 《21세기의 자본론》 학술 발표에서 칼 마르크스의 《자본론》과 자신의 저서의 다른 점에 대한 질문을 받았을 때 다음과 같이 대답했다.

"칼 마르크스의 《자본론》은 Fiction이고, 나의 책은 과거와 오늘의 자료를 모두 반영한 Big Data 분석과 해석의 집대성이다."

이런 의미에서 본다면 지금 우리나라 정책은 세계의 조류를 역행하고 있는 것 같다. 현재의 자본주의는 모두가 겉을 중시하는 간판화(show)가 되어, 경제 시스템으로 민주주의 진실을 구현하는 본의에서 벗어나 거짓을 선전·선동하는 정부 정책의 수단으로 타락되고 있다. 현재의 민주주의는 정보 처리의 형식(形式)이라 생각하고 있다고 저자는 주장한다.

이런 관점에서 볼 때 세계가 하나로 되는 Globalization의 이념은 구현될 수 없다. 다시 말해 세계에 전체라는 개념이 실재론적으로는 존재하지 않는다는 것이다. 자연 현상을 보면 개체는 존재하지만 전체는 존재하지 않는다는 것이다. 말하자면 신(神)의 시계(視界), 즉 전체를 인간은 볼 수 없다는 것이다. 알고 보면 우리 인간은 Computer Simulation 속에 살고 있다는 것이다.

세계적으로 성공하였다는 일본을 선술(先述)한 개념에 비춰 조명해보면, 일본은 완전한 시스템 국가라 할 수 있다. 일본인 개개인은 시스템 속의 일개 부품이라 말할 수 있다. 그리고 그들의 질서와 명상적(冥想的)인 정적(靜寂)을 보면 Crazy적인 혼돈(混沌)이라 평할 것이다. 밖으로는 조용하고 보이지 않는 내부의 세계가 점점 보이게 되는 일본의 고유문화 '선계(禪界)'를 보면 이를 이해할 수 있다.

시초에 참기 어려운 정도의 무(無)가 있고, 이유도 전체 구조도 없는 것이 점차적으로 요소가 합쳐져 미적 체험과 조우(遭遇)하게 되는 데서 새로운 개념을 만들어 가는 일본문화는 근대의 시대 조류에 맞는 문화라는 생각이 든다는 저자의 평.

"현재의 민주주의에 기대가 되느냐?"는 질문에 그는 다수결의 원칙이 민주주의의 기본이라지만 윤리가 결여된 다수결은 의미가 없다고 말한다. 예를 들어 95%가 동의했다고 해서 독일이 유태인을 학살한 것이 정당화되지는 않는 것과 같다는 뜻이다. 인간의 존엄을 토대로 한 윤리가 없는 민주주의에는 기대할 수 없다. 윤리에 의한 권력 제재가 필요하다. 규제와 같은 방벽이 높은 곳에서 자본주의와 민주주의는 사회에 득(得)이 되는 것보다 손해(損害)가 되는 것이 더 크다고 한다.

새로운 생각

　보이지 않는 힘으로 사회가 파괴되고 있는 것이 현 문명의 정체라 할 수 있다. 원래 인간은 모두가 같은 동물이다. 그래서 '만남'이라는 것이 그리 깊은 것이 아니었다. '연모(戀慕)'는 찾는다고 얻어지는 것이 아니다. 영어 숙어 'Fall in love'가 말하듯이 연모는 우연한 만남에서 시작되어 사랑에 빠지는 것이다. 이런 행위가 생의 동력원(動力源)이 된다.

　자유가 되는 조건(條件)은 사물에 대한 욕구가 없는 데서 생긴다. 악에는 2종류가 있는데 그 하나가 트럼프 대통령처럼 '있는 질서를 다 해쳐버리는 악', 즉 엔트로피 증대 작용이고 다른 하나는 '구조 속에 갇히는 악'이다. 이런 악에서 새로운 것이 나올 수 없고 행복을 느낄 수도 없다.

과학과 로봇에 대해

　세계적으로 Human Robot 분야 권위자로 알려진 이시구로 히로시(石黑浩) 오사카(OSAKA)대학 교수와 Markus Gebrie의 대화이다.

　이시구로 히로시 교수는 Human Robot의 요점은 촉각(觸角), 소리[聲]와 같은 개별(個別)의 요소 2개를 갖추면 인간 로봇이 인간에 가장 가까워진다고 하였다(연구 실험 결과).

　그렇지만 그 이상으로 센서를 많이 쓰면 쓸수록 Human Robot이 되레 인간성에서 멀어진다는 연구와 실험 결과를 보여주었다.

교수는 인간이 원숭이와 다른 점은 기술을 가지고 있는 것이라고 말했다. 그는 앞으로 멀지 않아 인간과 로봇이 동열로서 둘을 구분할 수 없는 시대가 온다는 점을 강조한다.

이시구로 교수와 닮을 꼴로 만든 로봇을 이리저리 만져본 Markus Gebrie 교수는 이 로봇이 비록 당신을 대신해 해외에서 당신의 연설문을 대독은 하지만, 마음이 없는 것 같다며, 이시구로 교수의 주장에 동의할 수 없다고 대응하였다. 나 역시 이시구로 교수의 주장엔 문제가 있어 보여 공감할 수 없다.

인간성이란 원래 동물적인 것이고 이는 10만 년이 지난 지금도 변한 것이 없다.

그러나 기술이 발달하면서 인간은 자가의 상습 인식에 매달리고 로봇을 통해 자신을 이해하게 되었다. 즉 로봇시대의 심화는 인간 자신들의 윤리인식도 변하게 만든다는 것을 이해하게 되었다. 인간이 로봇과 같아지는 날에는 민주주의의 토대도 허물어지고 컴퓨터에 의한 사회 지배가 우려된다.

끝으로 자연주의란

하나의 이데올로기다.

현대의 과학기술 발달로 과거의 자연주의의 정의(定義)와 같은 것은 없다. 있는 것은 진실뿐인데, 그것은 다차원적인 것이 모여 있는 중첩 집단일 뿐이다.

예를 들어, 세포를 보면 일정한 놀이에서 자유롭다. 그 세포들끼리 서로 중첩되면서 새로운 구조를 만들어낸다. 이 행위는 세포끼리 서로 융합하는 행위다.

　여기서 과학자들은 힌트를 얻어 새로운 창작을 한다. 그리고 모든 구조가 부분적이고 이들이 융합하는 데 아무런 지장이 없다는 것을 목격한 시대를 융합기술시대라고 한다.

과학자가 어째서 신앙을 가지게 되는가

2018년 12월 2일

　아이자크 뉴턴의 자서전을 읽다보면 그는 인간에 대한 불신이 강했나 봅니다. 그가 믿을 수 있는 것은 오직 절대적인 존재 신(神)이었습니다. 그래서 그는 신(神)에 한 발 가까워질 수 있는 수단으로 믿고 과학을 하였다고 합니다.

　그러나 그가 만들어낸 '뉴턴역학(力學)'이 설마 신(神)의 존재를 부인하는 것인 줄은 모르고 있었나 봅니다. 예를 들면, 그의 저서 《PRINCIPIA》에는 "아름다운 천체는 지성(知性)을 갖춘 강력한 실력자의 의도와 통일적인 제어가 있어서 비로소 존재하게 되는 것이다. 신(神)은 영원하다. 무한한 분이다."라고 적혀 있습니다.

　이 말은 뉴턴에겐 신업(神業)을 해명하는 일, 아름다운 천체와 우주를 만드신 신(神)에 대해 그가 의도하는 힘의 전부를 이해하고 밝히는 일이 불가능함을 의미하고 있습니다. 뉴턴 이후 과학자들 사이에서 신(神)의 존재 여부에 관한 의론(議論)은 우주의 창조주(創造主)의 존재 여부에 대한 의론으로 수렴(收斂)해 가게 됩니다. 그 과정을 살펴봅니다.

그간 교회(教會)에 의해 지켜져 왔던 천동설(天動說) 중심의 우주관(宇宙觀)이 갈릴레오(Galileo Galilei, 1564~1642), 케플러(kepler 1571~1630)의 업적을 토대로 뉴턴이 만들어낸 새로운 '뉴턴역학(力學)'에 의해 완전히 부정돼, 과학(科學)과 신(神), 나아가서는 인류와 신의 관계가 크게 변하게 됩니다.

절대공간(絶對空間)과 절대시간(絶對時間)을 전제로 만들어낸 운동방정식에 의해 만물(萬物)의 운동을 예언하는 뉴턴역학은 그리스도적 우주관을 외면하고 200년의 긴 세월에 걸쳐 사람들에게 절대적인 영향을 주게 됩니다.

창세기를 보면, "태초에 하나님이 천지(天地)를 창조(創造)하시고, 땅은 혼돈(混沌)하며 암흑(暗黑)이 심연(深淵)한 면에 하나님의 영(靈)이 수면 위를 움직이고 있었다."고 성경(Good news Bible/Today's English Version 1~2. 필자 역)의 <창세기>에 적혀 있습니다.

창조 작업의 제일(第一)일은 "하나님이 가라사대 빛이 있으라 하시매 빛이 있었다."로 시작돼 있는 것입니다.

창세기가 천체 창조보다 앞서 빛의 창조를 우선적으로 택해 서술한 것은 과학적인 상식 때문이었습니다. 하나님이 우주창조의 첫날에 빛을 택한 것도 특별한 생각이 있어서 빛을 택한 것이라 추측하게 됩니다. [ref. 졸저(拙著)의 수필집 : 『두 거울의 접점에서 사물을 보다』 pp.112)

이와 같은 빛(光)은 그리스도교에서 특별한 의미를 가지고 있습니다. '요한복음 8장 12절'을 보면 예수께서 "나는 세상의 빛이니 나를 따르는 자는 어둠에 다니지 아니하고 생명의 빛을 얻으리라." 라고 말씀하십니다. 다시 말해 "나는 이 세상에 빛으로 왔다."고 이야기하고 있는 것은 빛이 곧 하나님 그 자체라고 말하고 있는 것임을 알 수 있습니다.

그래서 과학기술에서, 특히 물리학에서 이 빛(光)의 정체 해명을 위해 걸어온 길을 간략히 소개해 봅니다.

물리학에서 빛의 해명에 열쇠가 된 것은 2개의 힘, 원격력(遠隔力, Distance force)에 대한 두 가지의 발견이었습니다.

원격력이라는 힘은 뉴턴이 사과나무에서 떨어지는 사과를 보고 발견해냈다는 만유인력과 같이 서로 접하고 있지 않은 물체들 간에 작용하는 힘을 말하는 것입니다. 이런 힘이 전하(電荷) 간에, 그리고 전류와 자장(磁場) 간에도 존재한다는 사실이 발견됩니다.

뉴턴의 만유인력 발견 후 100여 년이 지나 프랑스의 물리학자 쿨롱(Charles-Augustin de Coulomb, 1736~1806)은 1785년에 10만 분의 1g까지 측정가능한 정교한 저울을 제작하여 서로 떨어져 있는 '전하' 간에 서로 당기는 힘이 존재한다는 사실을 발견하게 됩니다. 이 전기 현상을 쿨롱 힘(Coulomb force)이라고 합니다.

다른 하나는 덴마크의 물리학자 외르스테드(Hans Christian Ørsted, 1777~1851)가 1820년에 전기와 자기(磁氣) 간에 원격력이 있음을 발견했던 것입니다.

이 두 개의 원격력의 발견은 기존의 물리학을 새로운 물리학으로 승화시키게 됩니다. 이어 영국의 화학자이자 물리학자인 패러데이(Michael Faraday, 1791~1867)가 Oersted(자장 세기 단위, 기호

: Oe)가 전류 주변에 자장이 발생하는 것을 발견하게 됩니다. 이를 '전자유도'라고 합니다.

발명자는 이 현상을 종전에는 원격력이라 부르고 있었는데, 실은 이 힘이 근접력(近接力)임을 알고 여기에 '장(場, field)'이라는 새로운 개념을 도입하게 됩니다. 이 전장(電場)과 자장(磁場)을 총칭해서 '전자장'이라고 합니다. 이후 전기와 자장의 실체를 같이 취급하는 '전자기학'이라는 새로운 물리학이 탄생하게 됩니다.

이어 패러데이는 니콜프리즘(Nicol prism)이라는 특정 편광(偏光, 특정한 방향에 진동하는 빛[光]만을 통과시키는 프리즘)을 사용하여 얻은 빛을 자장 속에 통과시키는 순간, 자장이 반응해서 편광면(偏光面)이 회전한다는 사실을 발견하게 됩니다. 이 현상이 패러데이의 '광자기효과'로 알려진 현상입니다. 이 발견으로, 빛과 자장의 관계가 밝혀져, 빛[光]에도 내부구조가 있음을 알게 됩니다.

이렇게 해서 패러데이는 신(神)이 천지를 창조하셨다는 빛을, 전자기학이라는 물리학의 연구 대상으로 삼게 됩니다.

나중에 이 관계, 다시 말해 빛[光]을 하나님의 언어인 수학으로 표현해낸 이가 맥스웰(James Clerk Maxwell, 1831~1879)이었고, 그가 고안해낸 것이 아래의 맥스웰 방정식입니다. 이 식은 4개의 미분방정식으로 표현돼 있습니다.

(참조 그림 Maxwell 방정식)

$$\nabla \cdot E = q \qquad\qquad 전속밀도$$

$$\nabla \cdot B = 0 \qquad\qquad 자속밀도$$

$$\nabla \cdot E = \frac{1}{c}\frac{\partial B}{\partial t} \qquad\qquad 전장의\ 강도$$

$$\nabla \cdot B = \frac{1}{c}\frac{\partial E}{\partial t} \qquad\qquad 자석의\ 강도$$

뉴턴이 갈릴레오의 실험결과에서 운동방정식을 유도한 것과 같이 맥스웰 역시 패러데이의 실험결과에서 전자장의 운동방정식을 유도해냈던 것입니다. 그리고 이 방정식은 빛[光]의 운동방정식이기도 합니다.

전하(電荷)를 진동시키면 전장(電場)이 변화합니다. 그 변화에 의해 자장(磁場)이 생깁니다.

또, 자장의 변화로 전장이 변화합니다. 이와 같이 전하의 진동(振動)에 의해 시간과 더불어 차차 변해가는 전장과 자장의 덩어리를 통해 빛[光]도 같은 속도로 나가는 것임을 알게 됩니다. 그러니까 빛[光]이라 함은 전장과 자장에 대해 수직 방향으로 나아가는 전자파임을 알게 됩니다.

맥스웰 방정식에 의해 빛[光]의 여러 성질이 밝혀집니다. 광은 무언가와 충돌이 없는 한 우주를 일정한 방향으로 나아가게 된다는 것, 진공 절연물(絶緣物) 속에서도 전장과 자장을 서로 자극해가며 파동(波動)이 되어 전해지는 것 등을 알게 됩니다.

또 빛[光]은 마찰열을 방출하며 에너지를 무타(無馱)로 하는 일이 전혀 없음도 알게 됩니다.

그래서 빛[光]이야말로 영원한 우주에서 움직이는 유일한 영구기관이라는 것을 알게 됩니다.

그러나 19세기 패러데이와 맥스웰의 신(神)에 대한 생각은 차세대적인 것이라기보다 뉴턴의 견해에 가까웠다고 할 수 있습니다. 이후 이런 관점, 다시 말해 뉴턴의 개념으로 만들어진 방정식의 효용을 그로 인해 제한받게 됨을 알게 됩니다. 그런데 양자역학이 나오면서 과학원리 무상인 시대가 도래(到來)합니다.

그들 패러데이와 맥스웰이 벌려놓은 전자기학으로 인해 전장과 자장이라는 새로운 개념이 침투되기 시작하자 융성(隆盛)의 절정에 달하고 있는 뉴턴역학에 의문의 화살이 겨누어집니다. 만유인력이 과연 '원격력'인가 하는 의론이 생기게 되었던 것입니다.

다시 말해 뉴턴역학은 '관성계(慣性系)'에서 성립되는 한정적인 원리라는 것입니다.

여기서 이해를 돕기 위해 '관성계'란 무엇인지 좀 설명해 두기로 하겠습니다. 우리가 살고 있는 지구는 태양 주변을 거의 시속 10만 km로 공전(公轉)하고 있습니다. 미국 Major 프로야구의 속구투수가 던지는 공의 속도가 시속 150km 정도라고 합니다.

우리가 살고 있는 지구는 그의 700배에 가까운 속도로 태양의 주변을 돌고 있는 것입니다.

그러나 우리의 일상에서는 아무런 자각도 속도의 감도 느끼지 않습니다. 왜 그럴까요? 그것은 일정한 속도[等速度]로 지구가 공전·자전을 하고 있기 때문입니다. 이 예는 갈릴레오가 지동설에 반대하는 천동설 지지자의 "지구가 돌고 있는데 우리는 왜 여기에 서 있느냐?"라는 비판에 대해 응답한 말입니다.

다시 말해 뉴턴이 갈릴레오의 자료를 인용해 만든 상대성운동은 등가속도에선 상대적인 것이어서 가령 시속 150km로 달리는 고속철도의 속도로 속구투수가 던지는 공의 속도가 150km로 보이고, 옆에서 달리는 차가 150km로 달리고 있으면 기차는 서 있는 것처럼 보인다고 느껴지는 것입니다.

따라서 우주상에 빛[光]이 정지되는 일은 상상할 수 없는 일인 것입니다. 이에 대해 아인슈타인이 상대성이론과 뉴턴역학, 맥스웰 방정식의 모순을 지적했던 것입니다. 그래서 뉴턴역학은 근사치(近似值)로 사용되는 방정식입니다.

그러나 광속에 가까운 운동을 하는 데에 이 신축(伸縮)의 미소수치를 무시할 수 없습니다. 그래서 광속만이 과학자가 우주 자연에서 발견한 절대치라는 것입니다.

20세기 세계에서 최고의 물리학자라고 하면 아인슈타인 (1879~1955)을 꼽습니다. 그는 26세 되던 해인 1905년에 <상대성이론> <브라운운동> <광전 효과 이론(광양자 가설)> 등 세계가 깜짝 놀란 논문 3편을 발표합니다. 논문 3편 모두가 당시 물리학에 혁명을 일으키는 논문들이었습니다.

그래서 1905년을 '기적의 해'라고 부릅니다.

아인슈터인은 19세기에 만들어진 뉴턴역학과 맥스웰 방정식에 이의(異意, 또는 疑異)를 제기하게 됩니다. 말하자면 이들 두 방정식은 등속도계(等速度系), 즉 관성계(慣性系)에서는 식이 성립되지만 비등속계에선 적용되지 않는다는 사실을 문제 삼았던 것입니다. 이 문제 제기는 200년의 태평(泰平)하게 유지되던 뉴턴역학을 긴긴 잠에서 깨어나게 하였습니다.

쉽게 말하자면 광속 C가 관성계에선 고정치수[定數]이나, 비관성계에선 상대적으로 가변치수[變數]라는 것입니다.

만유인력도 '원격력'이라기보다 '접근력'이라는 것입니다. 아인슈타인이 1902년에 발표한 <특수성대성이론>은 등속도 운동을 하는 관성계에 적용되는 것으로 나중인 1919년 가변 광속에 해당되는 <일반 상대성이론>이 발표되면서 이 소동은 끝을 맺게 됩니다.

이로써 전자기학은 나중에 중력에 대해 이론을 생산하는 원동력이 됩니다. 다시 말해 중력이라는 것이 '시공(時空)의 비뚤어짐(시간과 공간의 비뚤어짐)'이라는 것을 알게 됩니다. 이 이론이 우리가 가지고 다니면서 이용하고 있는 휴대폰의 GPS 기능으로 이용되고 있습니다. 이런 결과들을 종합해볼 때 이 세상에서 절대적인 것은 광속뿐이라는 것입니다.

유태인 가정에 태어났던 아인슈타인이 반드시 유태교에 충실했던 것은 아닙니다.

그러나 당시 독일의 소학교에선 그리스도교의 수업이 있었고, 양친은 먼 친족에게 부탁해 그리스도교의 구약성경을 똑같이 공부하는 유태교 교육을 시키고 있었습니다.

당초 아인슈타인은 선경 말씀에 매우 고무되어 만족하고 있었습니다. 어느 날 갑자기 창세기의 인류가 흙으로 만들어졌다는 성경 구절(창세기 2장 7절)을 접하면서 그는 성경에 대한 생각을 달리하게 됩니다.

아마도 당시 과학 잡지에 실린 다윈(Charles Robert Darwin, 1809~1882)의 진화론, 『種의 기원』을 읽고 있어서 그로서는 성경과 다윈의 진화론의 모순을 발견해서 쇼크를 받았는지도 모릅니다.

그것도 맥스웰까지는 진화론 이전, 아인슈타인에 들어서부터는 진화론 이후라 그는 양자의 접점에서 신(神)에 대한 회의를 느꼈으리라 생각됩니다.

이후 아인슈타인은 사람들이 말하는 것을 맹목적으로 믿으려 하지 않고 직접 본인이 납득할 수 있는 사실만을 믿게 됩니다.

그 과정에서 그는 "우주는 법칙으로 만들어진 것이고 거기엔 어떤 이유나 도덕적인 의도가 없고, 신(神)이라 함은 비인도적인 우주의 질서이며, 인간은 그것이 무엇인지는 알 수 없다."는 스피노자(Spinoza, 1632~1677)의 결정론에 공감하게 됩니다.

이후 아인슈타인의 상대성이론이 많은 물리학자들에 의해 연구되고 결과적으로 1919년 독일의 카를 슈바르츠실트(Karl

Schwarzschild, 1873~1916)가 어떤 공간에 아주 큰 질량이 존재하는 경우를 가정한 방정식(方程式)을 만들어 푼 'Schwarzschild solution'이 black hole의 이론상의 예언이었고, 벨기에의 조지 헨리 르메르트(Georges Henri Lemaître, 1894~1966)가 아인슈타인의 우주 항을 뺀 방정식을 풀어서 "우주는 팽창(膨脹)하고 있다."고 주장하게 됩니다.

그 이후 1927년 미국의 천문학자 에드윈 허블(Edwin Powell Hubble, 1889~1953)이 그의 발표 논문에서 자신이 예언한 우주 팽창을 보기 좋게 증명하게 됩니다.

이로써 '원시적인 원자의 가설'도 가설상의 이론이 정식 이론으로 인정받게 돼 이것이 후일 'Big Bang 이론'으로 정립되고, '우주는 매우 고온 고밀도의 상태에서 시작하여 그것이 크게 팽창함으로써 저온 저밀도로 되어 갔다는 팽창우주론(Big bang theory), 우주 개시 시의 폭발적 팽창이론(理論)'이 지구 창조의 시발점임을 과학자들이 밝혀냈던 것입니다.

이 Big bang theory는 교회에서도 환영하게 됩니다. 성경의 말씀과 동질이며 교회의 교양에도 모순이 없다는 성명(聲明)이 1951년 당시 교황 비오 12세(Pius PP. XII, 1876~1958)에 의해 발표됩니다.(ref. 필자 졸저(拙著)『정보 지성시대』 pp. 229~231)

르메르트의 발견은 신(神)의 우주의 창조를 과학적으로 증명한 것이었습니다. 이 사건은 무신론자로 알려진 아인슈타인이 신앙인으로서의 면목을 일신하게 만든 것은 물론, 일선의 과학자들도 창조주의 존재를 믿게 됩니다.

필자는 과학이 밝히는 자연의 모습은, 하나님이 주신 미(美)에 대한 감동의 한 원(源)이지만, 그 속에 창조자의 의도를 아는 것이 민음으로 통하는 신앙에의 길이라 믿고 있습니다.

나도 일본이 밉다. 그래도 다시 한 번 제대로 보자

2018년 12월 2일 04:07

이봉진 한국정밀공학회 초대회장

미국 정부의 부채는 약 21조억 달러(12월 4일 현재)에 달한다. 미국 국채를 가장 많이 보유한 국가는 중국(1조 1,500억 달러)이다. 중국에 이어 2위인 일본은 미국 국채 1조 280억 달러를 가지고 있다. 한국의 미국 국채 보유액(1,108억 달러)의 10배가 넘는다.

한국과 일본의 경제 규모를 가늠해 볼 수 있는 수치는 많다. 일본이 2017년 말 해외에 보유하고 있는 자산은 1,012조 4,310억 엔(약 1경 124조 원)이다. 한국의 대외자산은 일본의 7분의 1 수준인 1조 4,537억 달러(약 1,614조 원)에 불과하다.

나라 살림 규모도 격차가 크다. 2018년 일본 예산은 우리나라 예산(428조 원)의 2배가 넘는 97조 7,128억 엔(약 977조1,280억 원)에 달한다. 1인당 국민소득(GDP)도 일본이 3만 8,428달러로 한국(2만 9,744달러)보다 훨씬 많다.

숫자로 나타나는 통계만 그런 게 아니다. 세계경제포럼(WEF)에서 평가하는 국가경쟁력 순위에서 일본은 5위인 반면 우리나라는 15위를 기록했다. WEF의 국가경쟁력은 경제성장 잠재력을 잣대로 판단한다. 그만큼 일본은 여전히 성장 잠재력이 크지만, 한국은 투자 대상국으로 그다지 매력적이지 않다는 얘기다. WEF 국가경쟁력 1~4위는 미국, 싱가포르, 독일, 스위스다.

미국 US뉴스앤드월드리포트의 '국가 영향력'에 대한 조사에서도 한국은 일본에 뒤진다. 국가 영향력은 지도자의 영향력, 경제적 영향력, 정치적 영향력, 국가동맹관계, 군사력을 고려해 산정된다. 이 조사에서 일본은 7위, 한국은 11위에 올랐다.

영국의 세계적인 브랜드 컨설팅 업체인 브랜드 파이낸스가 발표하는 국가 브랜드 조사에서도 일본은 미국, 중국, 독일, 영국에 이어 5위에 오른 반면 우리나라는 10위를 기록했다. 국가의 브랜드 가치는 일반적으로 국가 인지도, 호감도, 신뢰도 등 유·무형의 가치들을 모두 합친 것을 말한다. 국가 브랜드는 외국인의 투자를 유치하고, 외국 관광객을 불러들이며, 수출품의 가치를 높이고, 정치적 동맹을 형성하는 등 국가의 전반적인 활동에 큰 영향을 미친다.

일본을 찾는 외국인 관광객이 급증하는 데서도 이를 알 수 있다. 올 1~10월까지 일본을 방문한 외국인 관광객은 2,346만 8,500명이었다. 같은 기간 한국을 방문한 외국인 관광객 1,267만 2,370명의 배에 달했다. 엔저 현상과 더불어 일본 정부가 적극적인 관광 진흥책을 펼친 것도 있지만, 그만큼 외국인들이 일본에 대해 호감을 가지고 있다는 얘기다.

전 세계가 일본을 객관적으로 또는 주관적으로 바라보는 시선은 늘 상위권이다. 우리나라도 경제·문화적으로 일부 부문에서 좋은 평가를 받고 있지만 전체적으로 보면 일본보다는 아래다.

하지만 전 세계가 호평하는 가운데서 유독 우리나라만 일본을 무시한다. 일본의 글로벌 경쟁력이 예전 같지 않다고 깔보기도 한다. 그런데 그 주장의 근거가 빈약하다. 일본이 과거에 대해 사죄하지 않거나 반성하지 않는다는 데 대한 분노이거나 우리(한국)가 도덕적 우위에 있다는 감정 차원의 주장이다. 지나치게 반감을 드러내는 경우도 많다.

하지만 이렇게 감정에 휘둘려서는 낭패를 볼 뿐이다. 앞에서 많은 예를 들었지만 일본경제는 우리보다 앞서 있다.

산업 측면에서 봐도 우리가 주도하는 분야가 있긴 하지만 원천 핵심기술은 일본이 독차지하고 있다. 일본을 이기지 않고는 세계시장에서 성공할 수 없다.

한국이 일본을 따라잡는 것은 현실을 바로 보는 데서 시작해야 한다. 일본이 우리보다 앞서 있다는 것을 인정하는 데서 출발해야 한다는 얘기다.

인정하기 싫더라도 인정해야 한다. 그래야 우리가 갈 길을 제대로 찾을 수 있다. 적(敵)을 얕잡아 보는 건 패배(敗北)로 가는 지름길이다. 일본을 무조건 싫어하거나 무시하는 최근 우리의 모습을 보면서 우리나라의 앞날을 생각하게 된다.

나도 일본이 밉다. 그러나 미워도 다시 한 번, 우리는 눈을 똑바로 뜨고 일본, 그리고 세계를 제대로 보아야 한다.

<주간지 이코노미조선의 국내 칼럼 12>

참[眞]과 거짓[虛]의 본질을 보자

2018-12-23(일) 연무 5℃, am 6:00

예나 지금이나 미(美)의 본질엔 진실과 허구가 공존하고 있다. 이 문제를 사회경제학적으로 다룬 두 사회경제학자로 마르크스와 막스 베버를 들 수 있다. 세계 경제사를 보면 근세 대표적인 두 경제학자의 사상을 엿볼 수 있다. 간단히 소개한다.

당시 영국에서 일어난 산업혁명으로 인한 사회의 변모를 본 마르크스는 사람이 만든 사회 시스템에 의해 인간성=휴머니즘을 잃어버리는 사태를 소외(疎外)라는 개념(概念)을 인용해서 설명하고 있다. 예를 들어 '회사'라는 것을 보면 사회 속의 소외집단이라 할 수 있다. 회사는 인간이 만든 것이다. 주변에서 자라는 초목들도 보니 내버려두어도 자연히 살아서 잘 자라고 있다. 그 속에 인위적인 조직인 '회사'와 같은 것은 없다.

어떤 회사든 회사는 누군가가 어떤 목적 때문에 만든 것임을 알 수 있다. 그런 의미에서 국가도 마찬가지라 생각하고 있다.

그러나 이 회사에 소속돼 있는 사람들은 그곳에서 삶의 보람을 느끼지 못한다. 무엇 때문에 일하고 있는지를 모른다. 이런 일이 실제로 발생하고 있다. 회사를 위해 일하다 보면 다치기도 하고, 심지어는 사고로 생명을 잃는 일도 있다. 이는 인간이 만든 시스템에 의해 인간성이 파괴되고 있는 것이다.

이와 같이 소외된 계층을 구해야 한다는 사상이 쉽게 말해 마르크스·레닌 사상(Ideology), 즉 유식하게 말해 유물사관(唯物史觀), 교조주의(敎條主義, dogmatism)라고 한다.

이 유물사관은 편협(偏狹)하고 이해하는 폭이 좁은 고정(固定)한 사상이라 할 수 있다. 왜냐하면 회사에는 공장에서 일하는 공원도 있으나 공원의 일거리를 만들려는 사람이 있고, 현대식 무인공장엔 소수 인원과 로봇이 있으며, 대다수의 사원은 세계에서 자기만이 할 수 있는 일에 평생 보람 있게 종사하거나 R&D에 열중하는 종업원이 몇 배나 더 많이 있는 오늘을 상상도 하지 못한 편협한 교조주의라 할 수 있다.

다만 평가할 만한 것이 있다면 막스 베버의 예언의 하나인 특권층의 세습이 없었다는 점이다. 이 점이 이데올로기 정권이라고 하는 공산주의 정권에서 이북의 주체사상 정권과 같이 인공 신화(神化)의 이데올로기는 없었다는 의미일 것이다.

세계에서 단 하나의 인공 신화 이데올로기 정권이 있다면 그것은 바로 북한 정권일 것이다.

하나님도 아닌 인간을 신격화하는 아이디어는 일제 강점기 일본의 유물을 이어받은 것인가 하는 생각이 든다. 이런 일본은 망하고 없어진 지가 오래다! 계층이 생긴다고 산업사회의 변모해가는 현상을 예언해 소외(疎外)계층인 프롤레타리아 사회 혁명을 조장하는 일도 없어진 지 오래다.

다른 한 사람 막스 베버는 마르크스와는 반대로 소외계층이 생기는 사회를 되레 시스템으로 최적화함으로써 많은 사람들에게 이득을 줄 수 있는 사회의 시스템화를 예언하였다. 예를 들면 막스 베버는 그의 저서『프로테스탄티즘의 윤리와 자본주의 정신』에서 '시스템에 최적화한 사람들'에 대해 다음과 같이 쓰고 있다.

"정신이 빠진 전문인, 심정(心情) 없는 향락인. 이들 없는 사람(nichts)은 인간성이 일찍 도달해 보지 못한 계단에까지 올라올 수 있었다고 황홀(恍惚)하겠지요."

이처럼 그들 nichts(현 사회의 엘리트)는 매일 밤 향락의 최고 레스토랑에서 미식을 맛보면서 인간성의 정점에 자신들이 있다는 황홀에 빠지게 된다.

막스 베버가 지적한 대로 그들은 자신의 기득권을 지키기에 급급해 온 정신을 바쳐 사회 개혁엔 말과 행동이 달라진다.

시스템의 개혁을 가능하게 하는 것은 시스템 내부에서 영향력과 발언권을 가진 엘리트인데, 그 엘리트들이 시스템의 비틀림에서 얻는 편리가 크므로 이를 교정하려는 인센티브가 없다. 시스템에 참가하고 있는 실무자들이 각자의 이익을 최대화하려고 하므로 전체로서는 이익이 축소된다. 게임 이론(Game Theory)에서 말하는 Nash균형(均衡)상태가 되어 버리는 것이다. 이것이 오늘날 세계가 품고 있는 문제다.

그런데 인간 사회의 과거사를 보면 이런 일이 허다하게 반복되고 있음을 알 수 있다. 5세기 아우구스티누스(Augustinus, 354~430)

232

에서 아퀴나스(Aquinas, 1225~1274)까지 800년간은 이렇다 할 철학자가 없는 '공백기'였다. 이런 현상은 철학뿐만이 아니라 자연과학이나 문학에 있어서도 마찬가지여서 '문화의 퇴행기'라고 한다.

유럽의 중세기에 문화적인 역행(逆行)이 수세기씩이나 있었다는 것을 알 수 있다. 말하자면 인간 사회에선 문화적인 역행(逆行)이 종종 있었다는 것이다. 이와 같은 장기간에 걸친 문화적인 역행(逆行)에 종지부를 찍은 사건이 이태리에서 시작된 르네상스(Renaissance)다.

이 사회 시스템 개혁은 종전의 크리스트적인 시스템에서 벗어나 인간성, 즉 휴머니즘의 고양(高揚) 시기가 열린 것이었다. 그때까지 신에 의존해 왔던 진(眞), 선(善), 미(美)를 이제는 인간이 짊어지게 돼 인간이 신을 대신할 수 있다는 사상이 특히 과학계에서 일어나게 된다. 이와 같은 큰 전환기는 과학, 철학, 예술에 큰 영향을 미치고 문명이 발전해 가게 된다.

21세기에 들어서면서 과학기술의 발전은 지구의 형성이 빅뱅(Big Ban)에 의한 것임이 발견·증명되면서 지구가 태초에 창조주(創造主)의 계획에 따른 것임이 과학계는 물론 대중에까지 일반화되었다고 믿고 있다.

그런 의미에서 문화적 정체가 종언(終焉)돼 두 번째의 르네상스가 진선미를 내재(內在)적으로 판단하는 '미의식의 복권'이 이루어지는 21세기의 영속을 기원하고 싶다. 그런데 우리나라의 현실은 카오스로서 엔트로피 증가 일로로 가는 기분이 들어 앞날이 우려된다. 역사는 반복된다는 것을 이해했으면 한다.

5월입니다-집수리를 마무리하면서 당신에게 쓴 편지

2019년 5월 31일

당신을 그리는 마음 끝이 없네요.
당신과 같이 지었던 우리 집 하이비전에서
당신의 3주기를 식구끼리 모여 추모하기로 하고
5월 한 달은 꼬박 집수리에 전념하였습니다.
오래간만에 가본 우리 집은 어느새 심었던 나무가 무성해
5월의 장미꽃이 화단을 점령하고 있었습니다.
주변에 제멋을 자랑하는 것 같았습니다.

매일 같이 당신이라면 어떻게 했을까 하고,
당신과 이야기하며 집수리를 했지요.
그리고 보니 당신의 책, 취미생활의 유품들이 한 곳에 모여
당신의 유물 전시관이 되었습니다.

234

당신의 학구열도 대단합니다.
여기서 우리는 당신 사진 그리고 유물들을 정리하며 매일같이
당신과 이야기를 나누며 지낸답니다.
때로는 아쉬움의 눈물도 삼키다,
토해 흘러내리는 눈물을 닦곤 했지요.

참으로 내 인생에 5월은 왜 이리도
유혹이 많은 계절인지 모릅니다.
새벽같이 새소리에 홀려 옥상 우리 집 정원에 나가보면
깨끗이 세수한 것 같은 파란 새잎이
담담하게 그 아름다음을 보여줍니다.
희미한 어린 파란 새잎들이
자기 계절을 찾아 커가는 자연의 생명력을 볼 때
언제나 새벽같이 나에게 보여주었던
당신의 얼굴을 떠올립니다.
또 그 나뭇가지 사이로 들고나가는 바람은
차지도 않고, 덥지도 않아
얼마나 상쾌한 바람인지 모릅니다.
계절풍 중 제일인가 봅니다.

5월의 바람은 우리를 편하게 해줍니다.
꼭 아내와 아침을 같이하는 기분이 듭니다.
화단의 벚꽃이 계절을 뛰어넘다시피 달려가더니
어느새 새 잎의 녹색 사이로 비치는 빛이
유연하게 투영되지요.

고귀한 사람의 거동처럼, 말없이 미소 지으며
쳐다보는 당신의 일상을 보는 느낌이 들지요.
똑 닮았다니까요, 이때는 더욱 나를 괴롭힙니다. 그리워서!
그리움은 나뭇가지 사이로 빠져나가는
계절 바람을 타지 않나 봅니다.

초여름의 빛을 받아 빛나는
갓 태어난 어린잎의 생명처럼
나뭇가지에 주렁주렁 달린
새 생명의 아름다움을 무엇과 비교하리오!
이 생명은 다가오는 여름을 준비하며
농밀한 색으로 무장합니다.
다가올 여름에 대하는 용감한 생명력의 아름다움을
생각하게 되어 이 마음이 요동칩니다.
우리에게도 그런 때가 언젠가 있었던 것이 생각나!
우리도 이렇게 살아왔는지 하고 떠올립니다.
그러나 후회스런 일이 많아 5월은 나를 괴롭게 합니다.

그러나 눈을 돌려보면 우리 집 정원엔
서로가 경쟁이나 하듯 줄 장미, 백합과 같은 꽃들이
서로 경쟁하듯 꽃을 만발하고 있습니다.
화단을 보는 눈을 더욱 즐겁게 해줍니다.
그러나 줄장미가 백합을 감싸듯
화단을 무성히 하고 있습니다.
An iris의 진한 보라색은 5월의 계절을 말 하는 것 같아

당신이 좋아하는 violet 5월의 색이 이해되고,
그 진의를 발견하고 있습니다.
당신을 알고 있으면서도 잘 모르고 있어서
너무나 후회스럽습니다.
한 평생을 열심히 산 당신은 정말 5월의 색이었습니다.

사람은 무엇으로 사는가?

이 물음은 인류 역사상 가장 오래된 주제일 것이다. 그 질문 앞에 무수한 답이 양산되지만 하나의 키워드로 정리하자면 감히 '사랑'이라고 말할 수 있다. 인간은 오랜 세월동안 사랑의 실천을 숭고하게 여기고, 그 앞에 경의를 표해왔다. 사랑을 직·간접으로 경험한 인생일수록 그 삶이 풍성하기에 문화, 예술, 종교 등 다양한 방식으로 사랑을 표현하기도 하고, 사랑이라는 주제에 걸맞은 삶의 방식과 방향을 고민하며 살아간다.

글을 읽는 내내 아내를 그리워하며 눈시울을 붉혔던 노신사 이봉진 박사님과의 첫 만남이 떠올랐다. 2017년 4월, 남원YWCA에서는 AI 전문가이신 이봉진 박사님의 강연을 주최하여 전북권역 사무총장들이 강연에 참석하게 되었다. 과학이라는 신세계에 전문가의 깊이 있는 지성과 시선에도 호기심이 자극되었지만 무엇보다 사별한 아내에 대한 그리움의 표현이 아릿하면서도 아름다웠다. 말씀을 전하는 박사님도 울고 그 말에 공감하는 나 역시 많이 울었던 기억이 난다. 아픈 마음을 나눠주신 박사님에게 작은 위로의 메시지를 문자로 전해드리면서 박사님은 어린 나를 '친구'라고 칭해주셨다. 생각과 지성을 나누는 친구라는 의미로 '사우'라고 말씀해주셨는데, 아직도 내가 그분의 친구라는 사실이 송구하기만 하다.

<우연과 사랑>에서 비춰진 고(故) 고의순 선생님과 이봉진 박사님의 사랑은 지고지순하기만 하다. 만남이 우연하더라도, 그 사랑의 성취는 상호간의 노력인데, 두 분이 사랑을 가꿔가는 방식에는 존중과 배려가 넘쳐난다. 패스트푸드와 같은 사랑과 만남에 익숙해져 스릴마저 있는 요즘의 현대인들과는 사뭇 다른, 품격 있는 사랑이 그려져 있다. 글을 읽는 내내 성숙한 인생과 사랑 앞에 마음 따뜻해진다.

일제 강점기의 혼란하고 가슴 아픈 시대를 경험한 유년기, 일본 최고의 상아탑인 동경대학에 입학하고자 치열하게 공부했을 나그네였던 소년, 입학 후에도 문학과 철학을 벗 삼았던 청년, 평생 동안 지성과 영성을 소통한 아내와의 사랑, 일본과 한국, 전 세계를 오가며 세계적인 과학자로서의 명성과 지위를 경험한 중장년, 훌륭한 사회 지도자들을 자녀로 둔 노년의 삶… 이봉진 박사님의 일생은

성공한 삶이라는 생각이 들었다.

 랄프 왈도 에머슨은 '무엇이 성공인가'라는 시를 통해 성공한 삶에 대해 일상적이지만 철학적 사유의 힘이 강하게 내포된 실존적인 글을 독자들과 나누는데, 이봉진 박사님과 고(故) 고의순 선생님의 사랑과 인생은 서로에게 성공한 삶이고 승리한 삶이었다.

 가까운 지인으로부터 사랑이라는 주제를 완성해가는 모습을 뵐수 있어서 개인적으로 영광이다. <우연과 사랑>을 읽으면서 나는 순수의 이름인 "백합"으로 애칭 되는 고(故) 고의순 선생님과 닮은, 눈 쌓인 새벽길이 떠올랐다. 첫 독자로서 눈 쌓인 새벽길을 처음으로 맞이한 사람이 된 기분이 들었다. 새벽 미명 아래 잔잔하게 반짝이는 아름다움, 이별의 아쉬움, 영원한 만남이 약속된, 폐포(肺胞)까지 상쾌하게 하는 약속의 길, 그 앞에 나는 행복하게 서 있다.

2019년 11월
원태경